SANANDO CUERPO Y ESPÍRITU

con las virtudes de los Ángeles, tus manos y tu voz

SANANDO CUERPO Y ESPÍRITU

con las virtudes de los Ángeles, tus manos y tu voz

Arlette Rothhirsch

encuentro

Coordinación editorial: Márgara Clavé y Matilde Schoenfeld
Diseño de interiores: Mila Ojeda
Diseño de portada: Lucila Flores
Fotos: Paulina, Rodrigo Vázquez Torregrosa y Jorge Arriaga
Para contactar a la autora: www.sabiduriadeluniverso.com
contacto@sabiduriadeluniverso.com

Av. Cuauhtémoc 1430
Col. Santa Cruz Atoyac
México, D.F. 03310
Tel.: 5605 76 77
Fax: 5605 76 00
Correo electrónico: editorialpax@editorialpax.com
Página web: www.editorialpax.com

Primera edición
ISBN 978-607-7723-07-3

Impreso en México / Printed in Mexico

Jorge,
porque contigo
los libros siempre podrán terminarse.

A todos los amigos, alumnos
y compañeros de esta experiencia,
gracias por formar parte del Conocimiento.
A Mina, por las innumerables horas invertidas
con mi Guía y Maestro
y por los frutos rendidos
en el momento menos esperado.
A Cristián Cortés,
por su paciencia y tenacidad infinitas.

A la naturaleza y a mis animales,
por el profundo entendimiento
de la vida en la Tierra.

ÍNDICE

Presentación

Virtud es Ángel, es Esencia,
es Energía, es Vibración.

Han pasado varios años desde que empecé a recibir información del Universo y desde entonces mi preparación como sanadora no ha cesado.

En el primer libro que publicamos, titulado ***Mensajes al corazón. Un encuentro con la sabiduría de los Ángeles***, transcribí los textos que me fueron dictados por las virtudes o presencias angélicas.

En este nuevo libro hago la recuperación y síntesis de una técnica de curación para regresar a la salud y devolver o recordar a los seres humanos que el fin último de su estancia en la Tierra es crecer, y no necesariamente a través del dolor, sino por el reencuentro con el bienestar, que es el primer paso para alcanzar la alegría, la libertad y la paz tan necesarias para una vida más placentera. Se trata, por lo tanto, de un libro-guía, para quien desee recibir estos conocimientos, para sanarse y sanar a los que le rodean.

Esta técnica está basada por un lado en la esencia del cosmos, es decir, el sonido, y por el otro en ciertos movimientos de las manos. El sonido de la voz produce en el cuerpo físico una vibración específica que actúa a nivel celular en lugares muy precisos del organismo. Este efecto energético permite contactar con la vibración angélica o virtud que necesitamos en ese momento para el proceso curativo. Los movimientos de las manos son símbolos que se aplican sobre el cuerpo físico y que están relacionados con los cinco sentidos y los cuatro elementos de la naturaleza: Aire, Agua, Fuego y Tierra.

El libro se acompaña de un juego de naipes correspondientes a cada una de las virtudes. Estas cartas son un apoyo en el proceso terapéutico por un lado, y por el otro a través de ellas es posible consultar el oráculo de las virtudes que nos indicará el trabajo interior que debemos hacer para llegar al reencuentro con nuestras esencias, aquellas que nos permiten ser y estar en paz con el Universo.

Al inicio de este libro, con un pequeño viaje interior, explico cuál es la misión que nos trae a la Tierra en el momento específico de nuestro nacimiento con un determinado elemento y un signo especial, y qué herramientas tenemos a nuestro alcance para facilitar el camino y cumplir con lo que nosotros mismos elegimos.

Estos instrumentos son las virtudes, ángeles o vibraciones de energía que también escogimos antes de nacer, las que nos acompañan a lo largo de las diferentes etapas de la vida según el lugar geográfico en donde decidimos vivir y a las que podemos acudir en momentos determinados.

A continuación describo cómo actúan las esencias o virtudes de acuerdo con una división práctica (que simplifica la enorme complejidad de las huestes angélicas del medioevo) y su modo de operar dependiendo de si trabajan en un ser de Aire, Agua, Fuego o Tierra.

Para terminar presento un sistema de conocimiento y aplicación de las virtudes práctico y sencillo –no por esto menos bello– con funciones terapéuticas, oraculares y de autoconocimiento, al alcance de los seres que han emprendido el camino de la expansión de la conciencia.

Tepoztlán, Morelos, México.

Introducción

¿Quién soy?

El ser humano es quien debe ser cuando su esencia se encuentra con sus aspiraciones; su esencia es pertenecer a su elemento y conocer sus deseos. Ser quien uno quiere ser es la única misión real de los humanos; las demás son misiones adquiridas o creadas.

Sin entender quién soy, no puedo saber a dónde voy ni qué puedo encontrar.

El poder está en el interior del ser humano, como la libertad. Esta virtud es un don que uno descubre en sí mismo, y por tanto cada ser necesita poder encontrarla dentro de él.

Para alcanzar estas enseñanzas se requiere de un proceso que consiste en encontrar las capacidades y los poderes interiores y permitir que se revele la propia libertad, para ejercer todo esto en beneficio de uno mismo y del mundo, en nombre de la sabiduría y de la justicia.

Dilucidar un verdadero deseo parte de la necesidad esencial de reconocer cuáles han sido los deseos aprendidos por imposición familiar o social y cuáles son los que nos llevan a cumplir nuestra misión y a ser capaces de entender y de crecer en una nueva experiencia de vida.

Lo que importa es saber ***quién soy***; lo que interesa es saber qué quiero y a dónde voy; lo que trasciende es saber cuál es mi misión y cumplirla con alegría.

CAPÍTULO 1

Los cuatro elementos de la naturaleza

Aire es responsable de todo lo que implica la creatividad del alma, del juego y de la libertad de hacer e inventar. Aire es responsable de todo lo que tiene que ver con el amor, porque el amor es libertad y no puede existir sin ella. No se puede amar una prisión, no se puede amar una atadura, sólo se puede amar lo que permite al ser, ser verdaderamente.

Agua es responsable de todo lo que tiene que ver con la verdad, con la comprensión de la sabiduría, con el entendimiento. La sabiduría no es fija ni estable, es cambiante; de ahí la importancia de su capacidad de moverse en tres estados diferentes (sólido, líquido y gaseoso). Si tenemos problemas con Agua, es decir, con la verdad, nuestro planeta puede enfermar.

Fuego es responsable de todo lo relativo al cambio y a la purificación; al entusiasmo, al poder, al reconocimiento de lo que sé y de lo que tengo. Fuego es responsable de la fuerza de las personas, del impulso y del poder.

Tierra es responsable de lo estable, de lo cuidadoso, de la vida cotidiana, de lo que significa andar por el mundo en paz, tranquilidad y serenidad. Tierra es responsable también de las formas de relación entre los elementos y de asentar a los seres en este planeta.

Cuando Aire y Tierra se relacionan, Tierra aprende a volar y Aire a ser arco iris.

Al acercarse Tierra y Agua, Tierra aprende a nutrirse y Agua a estabilizarse.

Cuando Tierra y Fuego se encuentran, Fuego aprende a no consumir en exceso, a dosificar, a crear fuego lento, y Tierra aprende a obtener calor.

Fuego aprende a jugar y a vivir con Aire. Sin embargo, Fuego puede consumir a Aire, por lo que Aire debe aprender a mantenerse vivo.

Cuando Fuego se relaciona con Agua, éste le enseña a cambiar de estado y aprende cosas nuevas. Agua, en cambio, le enseña el peligro de la extinción. Por sus características, esta es una de las relaciones más conflictivas del Cosmos.

Cuando Agua entra en contacto con Aire puede crear olas, pero también maremotos; de ahí que también sea una de las relaciones más difíciles de comprender y más complejas en el Universo.

Las grandes preguntas son: ¿por qué escogemos ser un elemento determinado y por qué decidimos tener vínculos con quienes lo hacemos?

Primero hay que analizar las características y acciones de estos elementos, para comenzar a entender hacia dónde se dirigen. Cuando se analiza con quién se relaciona cada ser humano se puede saber quién es. Las relaciones con los otros son una de las herramientas de aprendizaje más importantes que tenemos y somos privilegiados porque sólo nosotros las poseemos. Analizar estas relaciones implica ser capaz de enfrentar la verdad con honestidad. ¿Hasta dónde hemos sido los seres humanos capaces de establecer honestamente una relación en nuestra vida?

Misión

La misión de cada ser humano es la necesidad que experimenta de cumplir con la esencia de su ser. Para ello, se hace acompañar de ángeles o virtudes que actúan dependiendo del signo y del elemento al que pertenece, así como del nivel de sabiduría que ha alcanzado. Por sabiduría entiéndase la coherencia entre la manera como alguien vive y la forma en que pidió vivir antes de llegar al mundo, así como la conciencia, el aprendizaje y su aplicación tanto en la vida cotidiana como en la espiritual.

Tipos de misión

Misión individual

Esta misión es de conocimiento. No cumplirla normalmente provoca culpa, por lo que los seres humanos regresan a la Tierra para terminarla.

Misión con otras personas

Está vinculada con otros seres, y al paso del tiempo, por lo general, concluye.

Misión con el mundo

No es trascendente, a menos que se vuelva una necesidad del alma, como por ejemplo la de difundir el conocimiento en la Tierra.

Misión y los elementos

En un proceso de sanación cada persona requiere analizar su origen para comprender cómo sus misiones están relacionadas con los elementos, su signo y lugar de nacimiento.

Recordemos la correspondencia de los elemen tos y signos en el cuadro siguiente:

ELEMENTO	SIGNO	
Tierra	Tauro Virgo Capricornio	♉ ♍ ♑
Agua	Cáncer Escorpión Piscis	♋ ♏ ♓
Fuego	Aries Leo Sagitario	♈ ♌ ♐
Aire	Géminis Libra Acuario	♊ ♎ ♒

Tierra

Tierra: la sujeción del mundo.
Quien entrega la verdad será libre
y hará libres a los demás.

Soy la madre de las madres, principio y fin. Soy circular porque soy cíclica, porque soy eterna, porque no tengo principio ni fin. Soy estable porque es en mí en donde viven todos los elementos, soy móvil porque vivo en el Universo y lo modifico. Soy descanso, vida, paz y tranquilidad. Mi fuerza está en la paciencia y en la tenacidad. Mi debilidad está en la lentitud, en la indecisión, aunque esto también sea una manera de aprender.

Las misiones de Tierra tienen que ver con:

- El disfrute o el goce, como en las misiones de los seres de Aire.
- Misiones individuales o colectivas, como en los seres de Agua.
- La transformación y la calma, como en los seres de Fuego.
- Aprender a vivir en el mundo para transformarse (la comprensión de uno mismo y de los otros).
- La comprensión de lo que atañe a los sentidos y a la energía del alma (y comprender es descifrar).
- La sanación.

- El perdón, que constituye un acto de amor personal y puro.

Las misiones particulares de los signos correspondientes son:
- **Tauro**: viene a vencer el miedo con la paz.
- **Virgo**: viene a vencer la crítica con el análisis.
- **Capricornio**: viene a vencer la violencia con la eficiencia.

Agua

Agua: la limpieza del corazón.
Quien es capaz de dejarse fluir
será capaz de sanar su vida.

Soy la verdad y no puedo guiarme a mí misma mas que cuando soy capaz de cambiar de estado, porque la verdad también puede ser cambiante, aunque su esencia nunca se transforma. He sido vapor y hielo. La verdad tiene los mismos procesos: fluir. Quedarse en un remanso sólo tiene por objeto ser capaz de estudiar y aprender la sabiduría que es la finalidad de todos los ríos. El movimiento es la finalidad de todos los mares.

Las misiones de Agua están relacionadas con:
- Procesos individuales e internos como llorar, meditar, estudiarse y estudiar a los demás; aprender a fluir.
- La limpieza de culpas imaginarias o reales, muchas veces estancadas. Se trata de su misión más difícil, aunque no la menos hermosa.
- La conciencia de que su característica es la verdad y su capacidad de verla aun sin aceptarla, o de huir de ella habiendo sufrido traiciones. Los seres de Agua son posesivos porque sufren abandono. Son vengativos porque sufren dolores.

Las misiones particulares de los signos correspondientes son:
- **Piscis**: Necesita aprender a vivir en el agua, es decir, en la verdad. Viene con cargas de conflictos y debe liberarlos.
- **Cáncer**: Necesita salir del agua sin protección, es decir, no temer a la vida. Viene a solucionar pasiones no resueltas.
- **Escorpión:** Necesita aprender a no temer ser traicionado y a lograr no ser traicionado. Viene con dolores profundos.

El ciclo de Agua se caracteriza por el cuestionamiento personal, la reflexión sobre uno mismo. Sirve para entender las cosas del mundo pero, sobre todo, las cosas del ser humano para limpiar, purificar, dejar atrás, perdonar. El perdón es el inicio de la purificación.

Fuego

Fuego: la purificación del alma.
Quien quema su pasado
logra ver claramente su futuro.

Soy poder, porque poder es conciencia. Soy capaz de ser eficiente y por tanto congruente conmigo mismo. Quien ansía poder es porque no lo tiene; quien lo tiene, sabe lo que desea. Poder implica saber tenerlo y manejarlo, pero también implica entender a los que no lo tienen, donarlo, compartirlo. Soy poder porque la vida es poder, porque saber es poder, crecer es poder, ser y hacer son poder.

Las misiones de Fuego tienen que ver con:

- La transformación individual y colectiva.
- La relación con el poder, la posesión y el perdón.
- La elección de nacer en este elemento cuando se llevan muchas vidas de pasión creativa o destructiva.
- El aprendizaje para vencer las pasiones humanas.
- La conciencia de que el poder de los hijos de Fuego radica en la fuerza calcinante de lo que sienten.
- El reconocimiento de que nada es igual después de que Fuego nos toca.

Las misiones particulares de los signos correspondientes son:

- **Aries**: viene a vencer la pasión del amor.
- **Sagitario:** viene a vencer la pasión creativa.
- **Leo:** viene a vencer la pasión del poder.

Aire

Aire: la posibilidad de contactar
con la libertad y viajar por el mundo.
Quien es capaz de dar será capaz de recibir.

Soy amor, porque el amor es la virtud que no puede quedarse estática en una persona y debe contener todo, profundizar todo, estar en todo. Soy libertad porque es una virtud que le pertenece a todos los hombres, en todos sus estados y situaciones. Soy libertad, como lo es respirar y amar –aquello que no me puede ser arrancado, ni robado, ni quitado–, y es una decisión tenerla o no. Soy necesario para vivir, porque para vivir se necesita ser libre y ser amado. Somos de aire cuando sabemos que esas virtudes nos conforman, nos construyen y podemos compartirlas.

Las misiones de Aire se relacionan con:

- La utilización de herramientas, como son los conflictos resueltos en tiempos pasados, para enfrentar su quehacer actual.

- El arte.
- La creatividad, común a todos los hijos de Aire.
- El hecho de dar sin preocuparse por recibir.
- El ejercicio de su libertad de maneras constructivas, como el arte, la comunicación, la alegría, o destructivas, como la locura (donde se suelta la responsabilidad de forma radical), la muerte (el suicidio, asesinatos o la decisión de partir sin dolor) y el perfeccionismo.

Las misiones particulares de los signos correspondientes son:

- **Acuario**: Tiene capacidad de romper límites. Lleva muchas vidas prisionero y necesita libertad, por eso escoge la locura.
- **Géminis:** Maneja la inteligencia. Decide liberarse de culpas y relaciones con otros y por eso escoge vincularse con la muerte.
- **Libra:** Maneja la belleza y la armonía. Escoge realizar sus sueños con los deseos de muchas vidas; nace con la tendencia al perfeccionismo.

En resumen, la misión de Aire tiene que ver con compartir, dar, repartir, crear, pensar, ya que todas son formas de ser libre. Saber cuál es la misión que uno tiene en la vida puede ser sólo información, pero volverla consciente es alcanzar un conocimiento que implica una nueva visión del mundo.

Los seres de Aire y de Tierra generalmente tienen una o dos virtudes, pero si su misión es más compleja llegan a tener más.

Los seres de Fuego y de Agua, por lo general, vienen a resolver problemas complejos y por tanto tienen más ángeles que los acompañan. En todos los casos, es importante que aprendamos a reconocer a nuestros acompañantes.

Relaciones entre los elementos

Tierra

La Tierra contiene los cuatro elementos; a continuación mostramos las correspondencias de este elemento con los demás.

- Tierra busca a Tierra para estabilizarse.
- Busca a Agua para alimentarse.
- Busca a Fuego para recibir conocimiento y purificación.
- Busca a Aire para aprender a volar.

Agua

- Agua busca a Agua para conocerse a sí misma.
- Busca a Tierra para estabilizarse. Tienen una relación muy sabia y tranquila porque se sirven mutuamente: Agua nutrirá a Tierra y con ella se transformará suavemente, lentamente y poco a poco. Hay que recordar que a Tierra no le gustan los cambios drásticos, con Agua éstos son paulatinos y terminan siendo provechosos.
- Busca a Fuego para cambiar de estado, pero de una forma menos benéfica, más bien para consumirse. Pero también puede apagarlo. Esta relación es muy conflictiva porque Fuego tendrá temor de apagarse y, Agua, de cambiar de estado. Eso provoca normalmente tensiones, sobre todo si son seres que no quieren enfrentar la necesidad del otro elemento.
- Busca a Aire para cambiar de estado. Agua y Aire pueden tener una relación un poco más compleja porque así como pueden convenir en la creación de maravillas, como las olas y la brisa, también pueden convertirse en huracán o maremoto. Es una relación muy poderosa, pero por lo mismo tiene un matiz de peligro. Cuando un hijo de Agua se relaciona con uno de Aire aprenderá a pensar en los demás y no sólo en sí mismo y también aprenderá a no estancarse, a no quedarse quieto, a fluir.

Fuego

- Fuego busca a Fuego para llegar a la complacencia. El peligro es la detención. La palabra clave es ***evolución.***
- Busca a Tierra para asentarse, para curar culpas, pero poco es lo que puede hacerle a Tierra; en cambio, Tierra puede ahogar a Fuego. La palabra clave es ***desarrollo.***
- Busca a Agua para transformarla, aunque generalmente corre el riesgo de consumirse. Agua busca a Fuego para cambiar de estado, pero puede apagarlo. La palabra clave en la relación es ***serenidad.***
- Fuego busca a Aire para alimentarse. Aire busca a Fuego para consumirse (una forma de autodestrucción por amor a la muerte). En esta relación la palabra clave es ***paciencia.***

Los seres de Tierra son los que menos peligran junto a los de Fuego. Los de Agua y Aire son absolutamente lejanos a él, por el miedo de ser apagados.

Hay que imaginar el temor para un ser de Tierra a ser consumido por uno de Agua. En una reunión de amigos, si hay un Fuego y un Aire, puede haber un pleito entre ellos, a menos que Fuego se someta a Aire o tenga un mayor nivel de conciencia. Hay que recordar que desde cualquier signo se puede crear un nivel de conciencia, pero ello dependerá de cada ser humano.

Aire

- Aire-Aire es la relación más fácil de establecer y la más difícil de conservar. La más fácil de idealizar y de disfrutar. La palabra clave en está relación es ***libertad***. Las relaciones con Aire siempre necesitan tender a lo sutil, a la risa, a la creatividad, a las ideas, a la expansión del pensamiento. Quien no es capaz de reírse de sí mismo no será capaz de ser feliz. Desde la sutileza de la brisa hasta la fuerza indomable del huracán, el aire es disfrutable.
- Aire escoge a Tierra cuando tiene necesidad de sustentarse, concretar y dar coherencia a sus ideas, cuando ha decidido reflexionar. Ese proceso varía de intensidad en función del tiempo necesario para que la reflexión se transforme en comprensión y entendimiento. Tierra escoge a Aire porque es su única forma de aprender a volar, ya que su problema radica en la inmovilidad. La palabra clave de esta relación es ***paciencia***.
- Cuando un hijo de Aire se relaciona con uno de Agua espera aprender a reflexionar y a estudiarse a sí mismo. Lo peligroso de este vínculo es cuando no se aprenden las lecciones, por lo que Agua puede decidir ser víctima y Aire sentir que se ahoga. La consecuencia de una mala relación entre Aire y Agua es el dolor sin sentido. Esta relación también es peligrosa, aunque menos que la de Aire y Fuego. La palabra clave es ***toma de conciencia***.
- Cuando un hijo de Aire se relaciona con uno de Fuego aprenderá el valor del poder y a apasionarse. La dificultad de esta relación radica en que si Aire no tiene cuidado se consume, y si Fuego tampoco lo tiene, acrecentará sus pasiones y posesividad. Son las consecuencias de las lecciones no aprendidas que el otro nos puede enseñar. La consecuencia de una mala relación entre Fuego y Aire es la neurosis. Por ello, es muy peligrosa; pero así como puede ser destructiva también puede ser placentera. La palabra clave para Aire es ***paciencia*** y para Fuego, ***comprensión***.

CAPÍTULO 2

Introducción al estudio y utilización de las virtudes

Salud

Salud significa simplemente saber cuál es nuestro lugar en la Tierra, ocuparlo y disfrutarlo. Salud significa saber quiénes somos, qué estamos haciendo y saber disfrutar lo que somos y lo que hacemos. Salud significa tener una buena relación con nuestra esencia. Significa ser capaz de amar y ser amado. Salud significa ***saber***.

- Un ser que **sabe** se encuentra en buena salud, aprende a valerse por sí mismo.
- Nada del exterior se puede saber si no se entiende el interior.
- El equilibrio entre el interior y el exterior debe ser perfecto.
- Si sé quién soy entonces sé qué es el Universo.
- La alegría es la primera manifestación de la sabiduría.
- Saber trae Paz.
- La consecuencia de la salud es el conocimiento.

Virtudes

La gran pregunta
que al parecer
hemos olvidado es:
¿Por qué o para qué
existe el hombre?
El hombre existe
para que se expanda el Universo,
para que la Energía Universal
se mueva, se regenere
y se enriquezca a sí misma.

Virtud es Ángel, es Esencia,
es Energía, es Vibración.

Las virtudes son seres que están en el ámbito astral y que pueden dividirse y dedicarse a una tarea en especial, es decir, buscar la verdad o entregarse a la luz o a la claridad. Cada virtud está formada por diferentes entidades que han decidido entregarse a esa virtud y con ello conformar un solo ser, en pos de tal virtud o buscando que ella se realice.

Cuando estas entidades son capaces de entrar en contacto con seres humanos con niveles de conciencia inferiores al básico, tratan de transmitir su energía para transformar, limpiar o sanar la de éstos últimos. Sin embargo, si los seres a los que envían esa energía no la aceptan, nada se puede hacer, porque contra el libre albedrío nadie puede hacer nada, ni Dios ni ninguna forma de energía espiritual. Nada puede cambiar el libre albedrío de un ser humano y por supuesto tampoco el de cualquier otro ente del Universo.

Las virtudes están en la Tierra para que el mundo o el Universo estén mejor y llegan o son buscadas o llamadas por los hombres para enviar o dar señales a lo largo de un camino. Sin embargo, entre menos conciencia tiene un ser humano, olvida más fácilmente lo aprendido en otras vidas, y se niega la posibilidad de recibir el apoyo de las esencias. Se olvida que las anécdotas relacionadas con las vidas pasadas no son importantes; lo relevante es lo aprendido.

En el tiempo que estamos viviendo y de acuerdo con el nivel de conciencia de cada uno, sentimos la necesidad de seguir evolucionando. Las lecciones aprendidas forman parte de la energía del ser. Trabajar con esta energía y tocar los recuerdos de vidas pasadas ayuda a que la energía sea más fuerte, más sana y más limpia. La salud consiste esencialmente en eso, pero cuando una lección no se ha aprendido –si bien hay seres que deciden postergarla de manera consciente– no hay consecuencias positivas. Hay seres en cambio que de una manera inconsciente postergan su aprendizaje, pero caen en los mismos errores por no haber aprendido las lecciones. En este caso, las virtudes pueden acercarse a llamar, hablar, decir o explicar y sólo serán escuchadas si el ser en cuestión está en contacto consigo mismo. Llegará el mensaje directamente o por medio de un canal con el deseo de que la persona lo escuche y lo atienda. Pero si los mensajes no son aceptados, no hay nada que hacer.

Eficiencia de las virtudes

Ahora bien, ¿cómo se usan más eficientemente las virtudes? Dejándolas hablar, escuchándolas y utilizándolas cuando son necesarias.

¿Cuándo invocar a la verdad? Cuando se necesita enfrentar a otro ser con quien existen problemas de relación. Si la verdad se invoca en el momento adecuado, la comunicación en ese vínculo será de vital importancia; si no se hace es posible que no sea tan necesaria. La eficacia de esta energía depende de cuánto permite que se manifieste quien la recibe y eso se da a partir de su capacidad de tranquilidad, paz consigo mismo, calma, conexión con el deseo interno de tener ideas claras, ya aprendidas y asimiladas.

Las ideas, como las emociones y las obras, cambian al mundo, por eso son muy importantes. Encadenarse a ideas erróneas es tan conflictivo como maravilloso o benéfico es aliarse a ideas constructivas. El poder mental es la conexión con nuestra energía esencial. Entonces, no hay nada mejor que ser capaz de establecer una idea positiva dentro de sí y dejar que ésta florezca.

Hay formas muy eficientes de utilizar las virtudes. Una de ellas es la que emplean los canales: dejarlas "hablar" a través de ellos para los demás. Todas las virtudes se pueden presentar a todos los seres y cada ser les dará un nombre, una figura y un carácter de acuerdo a su visión, cosmogonía, cosmovisión, visión del mundo, manera de ser, creencias o región geográfica.

De esta manera nacen las deidades de todas las religiones y de todas las tradiciones espirituales. Cuando se encuentran rituales básicos y profundos en esas religiones, se encuentran formas de conexión con el ser interno y por tanto con las virtudes.

Algunos utilizan medios externos como ciertas plantas que enajenan la parte racional de la mente para permitir que surja lo irracional. Otros practican ritos psíquicos, o bien mentales, pero todos tienen el mismo objetivo. Se trata, claro está, de rituales antiguos y verdaderos, no de ritos posteriores nacidos del miedo o de la necesidad de protección ficticia de los seres.

El ser humano es interesante: cuando tiene miedo, es capaz de crear la solución precisa o cometer el peor de los errores. Es capaz de inventar máximas para aniquilar a otros por miedo, porque en la Tierra no ha habido una sola guerra que no haya sido provocada por temor. Finalmente, el gran miedo es el miedo a los otros, y de ahí derivan la guerra entre parejas, compañeros, amigos y países. Del miedo también pueden surgir rituales que no son rectos ni correctos, y que logran hacer a un lado la verdad para engañar al ser humano, para justificar su vida. Justificar cada acto de la vida ante uno mismo o ante la sociedad puede ser una enorme trampa, toda vez que no nos hacemos responsables de nuestros actos y decimos por ejemplo: "hago las cosas de esta manera porque así me lo enseñaron mis padres" o "digo esto porque así lo dicen mis amigos". Todo depende de los niveles de responsabilidad y de conciencia que hemos alcanzado.

Las virtudes y las zonas geográficas

Venimos a aprender a la Tierra y según la zona geográfica donde decidimos vivir, recibiremos diferentes experiencias de enseñanza de los seres de luz, virtudes o ángeles. Todos aquellos que tienen una energía más desarrollada y por tanto un nivel de conciencia más elevado y que estén abiertos a escuchar, lograrán más eficiencia en su quehacer.

Ciudad Seres vinculados con ***comunicación*** o ***perdón.*** Eligen vivir en la ciudad y podrán trabajar con ***eficiencia.*** Si las personas escogen una ciudad casi siempre es porque tienen que resolver problemas de relaciones humanas; la ciudad se vuelve un centro para resolver ese tipo de problemas. Aunque todas las esencias o entidades tengan eficiencia, hay centros en los que la recepción energética es mayor. Las ciudades antiguas, olvidadas, son cúmulo de energías, primero por los sitios en donde están construidas, pero también por la energía de la gente que vivió y quedó allí. En ciudades, templos o lugares que fueron sagrados, habrá mayor apertura para que las energías de las virtudes actúen.

Desierto Quien vive en el desierto esencialmente realiza un ***trabajo introspectivo.*** Todo aquello que implique este trabajo funcionará ahí y será eficiente. Se trata de seres relacionados con la ***comprensión*** o la ***compasión.***

Bosque En el bosque viven seres que necesitan pedir, y que están ***buscando verdades***; por ello, los seres relacionados con la ***purificación*** podrán ser más eficientes ahí.

Mar Si alguien vive cerca del mar es porque quiere renovarse, ser alguien nuevo, por eso los seres relacionados con virtudes como ***transformación*** o ***florecimiento*** tienen mejor cabida cerca del mar. Cuando la gente escoge el mar, es porque busca una forma de sanar, y sanar es renovarse.

LAS VIRTUDES Y LOS COLORES

En ocasiones la energía de las entidades o ángeles es rechazada por el color de la vestimenta de quienes solicitan su ayuda. No debemos invocar ni hablar con los seres de luz si estamos vestidos de negro; por el contrario, colores como el rojo o el blanco facilitan el contacto con virtudes como poder o purificación.

Las vibraciones de los colores atraen energías determinadas. Los colores primarios están relacionados por lo general con energías básicas. Las derivaciones se vuelven matices, los matices también son receptáculos distintos de energía.

DIVISIÓN DE LAS VIRTUDES

Las virtudes se dividen en tres grandes grupos: básicas, derivadas y complementarias. Más adelante se abordará el estudio de todas ellas. Las esencias básicas –amor, poder, claridad, verdad y fuerza– pueden reflejarse en los tres colores primarios: rojo, azul y amarillo.

Las virtudes básicas se pueden colorear de la siguiente manera:

- Amor en azul
- Poder en rojo
- Claridad en blanco
- Verdad en verde (que es el color de la naturaleza y que nunca miente)
- Fuerza en un rojo más oscuro.

Si bien el rojo es el color de la virtud básica de poder, también lo es en cierta medida, aunque no con la misma tonalidad, el de fuerza. Y en otro sentido, al combinarse con el azul podría volverse una fuerza transformadora, y con el violeta seguir teniendo características de poder y de cambio, así como de amor.

Y básicamente se podrían hacer todas las derivaciones de color a partir de lo anterior.

Es importante entender que todo color que no pertenezca a la naturaleza no ayuda a las virtudes ni a sus potencialidades. Por ejemplo, colores eléctricos, los que cambian con diferentes luces, los que aparecen o desaparecen por cuestiones térmicas o que se transforman en otros colores inventados por los seres humanos. Los tratamientos que provienen de la luz de focos de colores tampoco son buenos. Es mejor poner una tela o pintar el lugar donde se encuentra un enfermo.

Algunos ejemplos:

- El techo de una sala de atención, de color azul será más efectivo. Un azul cielo relaja y ayuda a que el amor tenga una mejor vibración y como el amor es la virtud más importante de todas, permite así que las demás virtudes fluyan de manera más sencilla. De hecho, es más fácil ayudar a los pacientes si asisten a la sesión curativa vestidos de blanco o de azul.
- Para tratar pacientes con problemas de decisión o de falta de iniciativa en la vida, es importante pedirles que se vistan más de rojo y de colores muy cálidos para que puedan recordar su propio poder. Si se visten de azul, tenderán a volar o a enamorarse de la melancolía.
- Mientras alguien esté enfermo es mejor que no use absolutamente ninguna prenda en gris ni en negro, porque esos colores absorben la energía y no la reflejan; en consecuencia, se acumula y no circula. El flujo de la energía en un cuerpo se puede estimular mediante el color. El color hace que las virtudes sean más efectivas. La virtud que aparece en un centro en particular se abrirá y la persona podrá resolver más problemas.

Se pueden saber mucho de como es una persona, entre otras cosas, conociendo el color que prefiere, no sólo para su ropa, sino para su casa y en su vida en general.

Si alguien no tiene un altar o lugar destinado a ser bendecido con riqueza, tendrá problemas de dinero y de abundancia. Por ello, es conveniente que esa persona se vista de colores dorados y amarillos y así la vibración será más efectiva.

Cuando se diagnostica algún tipo de tristeza profunda en un paciente, hay que instrumentar una estrategia global que incluya los colores adecuados en lo que come y en el lugar en donde vive. La ausencia de seres queridos, flores o animales de compañía es dañina; por ello alguien con problemas existenciales permitirá mejor flujo de energía, y más efectividad de las virtudes, si tiene en su casa plantas, flores o animales de compañía.

Las virtudes y el sonido

El sonido acrecienta o disminuye las facultades de una virtud o entidad. Por ello, cualquier cuestión de salud es potenciada por un sonido o anulada por un ruido o sonido desagradable o disonante. Por eso los hospitales deberían no sólo acondicionarse con colores adecuados a las virtudes, sino también llenarse de plantas y flores, y contar con sistemas de audio para que los pacientes escuchen música armoniosa y bella. Es fundamental que las sensaciones exteriores ayuden al paciente cuando hay cambios energéticos muy fuertes.

Características de los sonidos:

DO	Nota de la perfección
RE	Nota del poder
MI	Nota del interior del ser humano
FA	Nota de la naturaleza
SOL	Nota del resplandor y la luz
LA	Nota de la armonía universal
SI	Nota de la concesión, del que otorga, del que da

Complejidad del ser humano y la relación con sus seres superiores

Antes de venir al mundo los seres toman una serie de decisiones para sí mismos y algunas más con otros seres que vendrán también; acuerdan las relaciones entre ellos. Una vez acordado y estipulado un camino y después de una reflexión llegan a la Tierra. Si no se hace una reflexión, venir al mundo puede ser mucho más azaroso y complicado porque no hay un trayecto claro por definir, no se sabe muy bien a qué. La buena noticia es que hay muchos ángeles o esencias que pueden ayudar en estos casos; los ángeles son escogidos por las almas antes de venir al mundo y en su mayoría son virtudes que se han escuchado en otras vidas o que se quiere aprender a escuchar en la nueva vida. Buscamos su apoyo y su ayuda para lograr una comprensión sobre lo que esa virtud en específico significa en la vida del Universo. Las entidades o seres superiores son denominados de distinta manera de acuerdo a cada cultura o cosmovisión.

Elección de virtudes antes de venir a la Tierra

Antes de llegar a la Tierra, nuestra parte más sabia escoge el tipo de virtud con la cual se acompañará al llegar a este mundo.

Cuando existe claridad sobre la misión a cumplir, y cuando ésta es complicada o difícil, nos hacemos acompañar generalmente de virtudes básicas y de algunas derivadas o complementarias. Sin embargo, en ocasiones los seres que van a encarnar son caprichosos y escogen solamente virtudes complementarias, porque no quieren enfrentar los problemas de fondo.

Hay seres de Tierra o de Aire que sólo necesitan de una virtud derivada o una complementaria para que los acompañen, porque su misión no es complicada.

Las virtudes y las etapas de la vida

Cuando un ser humano está en coma tiene mayor capacidad de contactar con sus virtudes que cuando está enfermo.

Cuando trabajamos con niños es más fácil ayudarlos a contactar con sus virtudes o esencias que cuando lo hacemos con adolescentes, ya que esta etapa de la vida es de confusión y búsqueda. En el caso de los ancianos generalmente es muy difícil que puedan auxiliarse de sus virtudes a menos que contacten con la sabiduría que les da la vida.

Hay virtudes que son más eficientes en los primeros años de la vida y otras en los últimos, a menos que hayamos aprendido y cumplido con un ciclo coherente. ¿Qué es un ciclo coherente? Es un ciclo de vida en un estado de salud básico, en el cual el cuerpo físico está lo más purificado y estable posible gracias a la expresión de nuestas emociones e ideas, a una alimentación sana y a una vida placentera. El crecimiento de conciencia puede cambiar el tipo de virtudes y puede propiciar que la energía de las esencias se asimile al ser en evolución.

Las virtudes que funcionan más eficientemente de acuerdo con cada etapa de la vida son las siguientes:

VIRTUDES RELACIONADAS CON CADA ETAPA DE LA VIDA HUMANA

Niñez	Juventud	Madurez
Armonía	Alegría	Abundancia
Belleza	Amor	Alegria
Integridad	Apertura	Amor
Libertad	Aventura	Claridad
Luz	Buena voluntad	Eficiencia
Nacimiento	Compasión	Equilibrio
Obediencia	Comprensión	Fe
Purificación	Confianza	Fuerza
Rendición	Coraje	Inspiración
Responsabilidad	Creatividad	Perdón
	Deleite	Poder
	Desapego (soltar)	Propósito
	Educación	Sanación
	Entusiasmo	
	Espontaneidad	
	Expectación	
	Flexibilidad	
	Gracia	
	Gratitud	
	Hermandad	
	Honestidad	
	Juego	
	Paciencia	
	Simplicidad	
	Síntesis	
	Ternura	
	Transformación	
	Ubicación	

La posibilidad de acción de las virtudes depende de:

- El elemento de la persona
- La zona geográfica en que vive
- La apertura del paciente
- Su misión
- Sus padecimientos físicos
- Sus ideas
- Sus miedos
- El color de su vestimenta

Una vez que la persona deja su cuerpo físico se encuentra frente a frente con las virtudes y entonces es cuando puede resolver la mayor parte de sus dudas.

SITUACIONES QUE DIFICULTAN LA PRESENCIA DE LAS VIRTUDES

- La falta de aceptación del conocimiento que lleva a un estado de apertura.
- La zona geográfica y sus condiciones. Por ejemplo, en la ciudad el primer problema para que llegue la energía es la contaminación del aire.
- Las diferentes etapas de la vida.
- La apertura al conocimiento y la capacidad de asumir y enfrentar cambios.

CUÁNDO LAS VIRTUDES NO PUEDEN HACERSE PRESENTES A LOS SERES HUMANOS

- Cuando una pasión terrena nos ciega.
- Cuando tenemos un dolor físico o emocional muy fuerte como la pérdida de un ser querido o un simple dolor físico.
- Cuando tenemos una obsesión que nos llega a obnubilar.
- Cuando no sentimos respeto por nosotros mismos o por los demás seres de la Tierra. Por ejemplo, de ninguna manera pueden acercarse a las virtudes quienes trabajan en los mataderos o asesinan a sus semejantes, a menos que dejen de hacerlo, rompan su contacto con la muerte y limpien su energía. Pero limpiar su energía les llevará por lo menos tres o cuatro vidas.
- Cuando somos manipulados en grados supremos o cuando no queremos hacernos responsables de nosotros mismos. Son maneras de rechazar la energía del cosmos.
- Cuando no disfrutamos de la vida.

La función de los canales es hacer que las virtudes puedan ser escuchadas por los seres humanos, para que éstos limpien su energía y deshagan las cosas que obstruyen su enlace con ellas.

En qué momento puede un ser contactar a sus virtudes

- Al inicio de la vida, porque aún no se ha corrido el velo de la inconsciencia y se percibe la vida y a las entidades con mayor intensidad.
- Es más fácil siendo bebé que adolescente, ya que el adolescente está en pleno cuestionamiento acerca de sí mismo, de sus padres y de la sociedad en la que vive y, por lo general, sólo acepta respuestas que provienen de su mente ya que sus emociones están contrapuestas.
- Es muy difícil en un anciano que no acepta su sabiduría. Un anciano que no se da cuenta de que vino a aprender, y que ha recorrido el camino tratando de depender y de utilizar a los demás, difícilmente podrá reconocer su sabiduría o su conocimiento y, por lo tanto, el contacto con las esencias será nulo. Sin embargo, un ser de la tercera edad que llega a aceptar el conocimiento que ha adquirido a lo largo de su vida, que se acepta a sí mismo y que vive en amor y alegría logra contactar muy fácilmente con las esencias aunque algunas veces no sea consciente de ello.
- Cuando se cae en estado de coma es más fácil que cuando se está enfermo y consciente. El silencio es propicio para percibir con mayor profundidad.

Procesos con las virtudes

El proceso de evolución acompañado y guiado por las virtudes inicia cuando los seres humanos expresan su deseo de obtener el conocimiento, y termina cuando lo han conseguido y es suyo. Parte del proceso implica entrega, humildad y aprendizaje.

CAPÍTULO 3

DESCRIPCIÓN DE LAS TRES CATEGORÍAS DE LAS VIRTUDES: ESENCIALES, DERIVADAS Y COMPLEMENTARIAS

Las verdades absolutas no son asunto de los humanos,
son asunto de los seres superiores.
El ser humano no entiende
de verdades absolutas porque su estructura
no está hecha para saberlas ni entenderlas.
Su estructura está determinada para pensar, investigar,
poner en duda lo establecido, buscar
y cuando encuentre una verdad absoluta
entonces dejará de ser humano.
No se puede curar a nadie con verdades absolutas,
pero sí se pueden manejar
esas virtudes en principios para ayudar al ser humano.

VIRTUDES ESENCIALES O BÁSICAS

Las virtudes o entidades esenciales son: amor, poder, claridad, verdad y fuerza.

Estas son las cinco primeras virtudes y están consagradas a resolver casi todos nuestros problemas. La mayoría de las dificultades a nivel mental, emocional o físico, y generalmente, la problemática universal, están relacionadas con estas virtudes. La carencia de ellas, en particular de la verdad, provoca la mayor parte de las enfermedades mortales.

Las virtudes básicas definen nuestras características y la forma en que el Universo se mueve, así como las razones por las que se mueve.

Si en este momento tuviéramos amor, no habría guerras en el mundo. Si experimentáramos el poder, tampoco las habría porque de tener esta virtud, ¿para qué luchar por alcanzarla? Si verdad o claridad estuvieran con nosotros tampoco habría guerras porque sabríamos lo que pasa en cualquier país o región y las causas de las conflagraciones. Si los atacantes supieran las razones reales de los actos que están realizando, no los llevarían a cabo. Si tuviéramos fuerza tampoco habría conflictos armados, porque al tener conciencia de ella ya no sería necesario demostrarla ni desearla.

Las virtudes básicas del Universo son también las virtudes básicas de las personas, y éstas, por muy abyectas que sean, siempre tendrán una gota de estas esencias en su ser. Lo importante es que las reconozcan, que las hagan suyas y de esa manera todo puede cambiar en su vida, en su cuerpo, en su comunidad, en su país y en el planeta.

Por eso es tan importante conocer nuestra fuerza, nuestro poder, cuánta claridad o verdad tenemos en la vida, en nuestro quehacer y estar, y qué tanto estamos dispuestos a entregar y a recibir amor.

Cada una de estas virtudes puede tener un concepto diferente para cada uno de nosotros. Pero , cuidado, ya que si creemos que el amor es ser golpeado, ese tipo de amor obtendremos. Si somos conscientes de que el amor no tiene que ver con un contacto agresivo, nunca nos expresamos a golpes, pues es lo contrario del amor.

Si creemos que el amor es sufrir por alguien, sufriremos pero no tendremos amor. Es necesario tener conciencia de que el amor es una energía de vida, comprensión, creatividad, expansión del alma donde lo más importante es dar, más que recibir. Entonces el amor se alía con asuntos realmente importantes como la capacidad de dejar libre al otro o la posibilidad de decir "no importa si estoy contigo o no, lo que importa es que tú seas feliz". Los seres humanos pueden hacer evolucionar su idea del amor hasta llegar a la virtud del amor, al amor esencial, al que hermana, une y hace al mundo o al Universo girar. Pero eso sólo sucede conforme crece el nivel de conciencia.

Hay virtudes esenciales sin las cuales el mundo no está completo: podemos vivir sin la honestidad, pero no sin la verdad, podemos vivir sin abundancia, pero no sin amor. Son virtudes esenciales porque la vida sin ellas es mucho más difícil. La vida sin todas las virtudes es más difícil que con ellas, pero el hecho de que esas virtudes básicas no estén en la vida de una persona implica la enfermedad inmediata, física o mental, afecta el estado de salud. Sin las virtudes básicas la vida se quiebra fácilmente y no tiene sentido o lo pierde. Son las que sostienen la estancia del ser humano en la Tierra. La mayor parte de la gente puede vivir sin muchas cosas, pero no puede vivir sin amor.

Las virtudes básicas son las más difíciles de alcanzar y de contactar en el estado puro, pero en alguna medida tienen que estar presentes en nuestra vida aunque las hayamos malentendido, pervertido o aunque solamente tengamos una gotita de ellas.

Virtudes derivadas (o secundarias) y complementarias: su función

Las virtudes o entidades derivadas de las básicas son vibraciones más elaboradas y que de alguna manera ayudan a la vida cotidiana, hacen que la vida diaria sea menos tóxica, menos dolorosa, menos terrible o más placentera, y que esté más llena de riquezas que no impliquen cuestiones materiales. Son vibraciones secundarias, pero igual de importantes que las virtudes básicas. No hay vibración por más pequeña que sea que no tenga una importancia para el Universo.

Las virtudes complementarias son consecuencia de vibraciones conjuntas que pueden ayudar a comprender más el amor o a que la abundancia se obtenga más fácilmente; es decir, ayudan a potenciar la eficiencia de los otros dos tipos de virtudes.

Las virtudes derivadas y las complementarias son aquellas que ayudan a llegar a las virtudes básicas, a entrar en la sensación básica de bienestar, y son las que contribuyen a purificar las virtudes.

La energía derivada transforma la energía de la básica y a partir de ahí se desarrolla, es un matiz de una o varias virtudes esenciales. La energía complementaria puede ayudar a sostener a la básica. Todas las virtudes derivadas de amor tienen la misma energía básica, pero de formas distintas. Son facetas de lo mismo. Son formas de expresión de esa energía. Las virtudes complementarias de amor ayudan a que se exprese la energía del amor y que las derivadas coexistan.

Cuadro de virtudes básicas, derivadas y complementarias

Virtudes básicas	Amor	Poder	Claridad	Verdad	Fuerza
Esencias secundarias o derivadas	Alegría Armonía Belleza Confianza Creatividad Gratitud Gracia Hermandad Paciencia Perdón Ternura Transformación	Abundancia Confianza Creatividad Entusiasmo Fe Fuerza Humildad Inspiración Responsabilidad Transformación Valentía Voluntad	Armonía Equilibrio Honestidad Libertad Luz Paz Propósito Purificación Salud	Belleza Entendimiento Honestidad Integridad Paciencia Paz Purificación Salud	Entusiasmo Equilibrio Fe Libertad Nacimiento Responsabilidad Valentía
Esencias complementarias	Buen humor Compasión Comunicación Deleite o placer Desapego Diplomacia Esperanza Espontaneidad Flexibilidad Juego Obediencia	Apertura Aventura Buen humor Compasión Desapego Educación Eficiencia Espontaneidad Flexibilidad Síntesis	Aventura Compasión Comunicación Deleite o placer Educación Flexibilidad Sencillez Síntesis	Aventura Deleite o Placer Desapego Educación Obediencia Sencillez Síntesis	Buen humor Educación Esperanza Espontaneidad Obediencia Sencillez Síntesis

EL BUEN FUNCIONAMIENTO DE LOS TRATAMIENTOS

Para que funcionen los tratamientos basados en símbolos y sonidos es importante:

- Cuidar la alimentación.
- Cuidar lo que se oye.
- Cuidar lo que se lee.
- Cuidar lo que se dice.
- Cuidar el cuerpo físico y los seis cuerpos superiores con el apoyo de:
  - La meditación.
  - La danza.
  - Las disciplinas orientales (Tai chi, Chi Kung, yoga, danzas hindúes, danza árabe, y danza sufí, entre otras).
  - La música.
- Evitar los ruidos y la música estridente.
- Acostumbrar el oído al silencio y a los sonidos que alimentan y son creativos.
- Limitar la visión de la violencia, ya sea ficticia o real.
- Asistir a museos, exposiciones, conciertos de orquesta y música de cámara.
- Tomar una buena copa de vino, justo lo necesario.

CAPÍTULO 4

Funciones de las virtudes esenciales o básicas

Antes de definir cada una de las virtudes del Universo con las que vamos a trabajar, daremos una explicación acerca de lo que son las cinco virtudes básicas del Universo, que también son básicas para los seres humanos, quienes por muy extraviados o pervertidos que sean en sus actos, siempre encontrarán en su interior una gota de estas esencias. Lo importante es que las personas puedan reconocerlas y hacerlas suyas; en ese momento todo podría cambiar en su vida, en su cuerpo, en su comunidad, en su país y en el planeta.

Después la descripción de cada virtud o ángel aparece una explicación de cómo actúa cada una de estas vibraciones en los seres de Aire (Acuario, Géminis, Libra), Tierra (Capricornio, Tauro, Virgo), Fuego (Leo, Sagitario, Aries) y Agua (Piscis, Cáncer Escorpión).

Este trabajo pone en claro que cada uno de nosotros interpeta la vida en formas diferentes dependiendo, para empezar, de nuestro signo y el elemento al que pertenecemos; y tal vez al aceptarlo lleguemos a ser más tolerantes con los seres que nos rodean.

Amor

Elemento: Aire.
Color: Toda la gama de azules.
Actúa en: Corazón.

Hay que recordar que Amor está ligado sobre todo a Aire. Es una esencia básica por el simple hecho de que ningún ser puede desarrollarse ni vivir si no hay un grado mínimo de esta virtud en su vida. Simplemente no podría encarnar o no podría sostenerse en el Universo antes de encarnar sin esa virtud. Amor es color azul como Aire, y puede tener muchas manifestaciones. Casi todos nuestros actos en la vida son actos de amor, incluso, en ocasiones, matar puede llegar a ser un acto de amor.

Aire Se manifiesta como alegría, como la necesidad de tener una pareja, de establecer contacto con otros, así como la sublimación de la comunicación, el arte, la belleza, la entrega y la amistad, entre otras.

Tierra Ser cuidadosos consigo mismos y con los demás es una manifestación de amor en los seres de Tierra; en particular para los hijos de Virgo, que son cuidadosos con su entorno y con ellos mismos.

Fuego El amor se manifiesta como entusiasmo y capacidad de florecimiento. Sin embargo, existen diferencias: no es lo mismo un Leo, que está enamorado de sí mismo y que con entusiasmo pide alabanzas y reconocimiento de los demás, a un Sagitario talentoso que puede hacer que la gente enloquezca por él, porque posee el don del amor y el entusiasmo (un buen ejemplo es María Callas).

Agua El amor se manifiesta sobre todo a nivel de fidelidad y verdad; dicen la verdad y se dicen la verdad por amor y son fieles a sus ideas, a otros o a sus parejas, por amor, realmente por amor, no porque sean incapaces de compartir con otros, que ese es el caso de los hijos de Tauro en Tierra, incapaces de compartir con otros.

Poder

Elemento: Fuego.
Color: Rojo.
Actúa en: Boca del estómago.

El poder es fuerza, pero también es conciencia. Si alguien se sabe poderoso, es el momento en que debe dejar de buscar serlo y dejar de moverse sin conciencia de su conocimiento.

Aire El poder en Aire se da sobre todo en la comunicación y en la capacidad de expresión. El poder de Aire es llevar, traer y cambiar la información. La parte negativa es inestabilidad y volubilidad.

Tierra El poder en Tierra se manifiesta sobre todo en la tenacidad, que es mucho más lenta que en Fuego pero más permanente. La negatividad del poder en Tierra es la terquedad y la obsesión por que las cosas sean como ellos quieren que sean.

Fuego El poder en Fuego es la razón de existir. Se manifiesta sobre todo en vitalidad; su expresión más negativa, por supuesto, es la ira. La ira es la necesidad de destruirse y destruir lo que nos rodea, pero poder significa también voluntad de hacer, entusiasmo, querer ser y crear, querer caminar; es el triunfo del deseo, por ello es una virtud básica.

Agua Es capaz de revelar la verdad y cambiar de estado, pero su parte negativa es la manipulación. En Agua el poder se puede volver una forma de manipulación profunda.

El poder en todos los signos es la fuerza no sólo vital sino también creativa cuando se sabe sublimar o se trata adecuadamente; si Aire entiende que su poder es adecuarse, llevar, y traer y transformarse, entonces no tiene por qué usar su poder para imponer nada a nadie. Igual que Agua, no tendría que usarlo para manipular a nadie. Tierra, en lugar de decidir por obstinarse, podría decidir hacer las transformaciones con la paciencia que le da el poder.

En Fuego existen muchísimas formas de poder; por ejemplo, los hijos de Sagitario son inmensamente talentosos y sin embargo guardan rencores y emociones muy negativas. Si pudieran entender que su verdadero poder es el talento y la creatividad, se dedicarían únicamente a ello y permitirían que su energía llegara a la armonía y a la estabilidad. El poder es una virtud básica pero es tan benéfica como peligrosa. La ansiedad por el poder sólo demuestra la falta de poder.

Uno de los hombres más poderoso en la Tierra en este momento es el Dalai Lama, y no el presidente de los Estados Unidos. Cuando al Dalai Lama le preguntan porqué no emprende ninguna acción en contra de los que han asesinado a su pueblo, responde con toda tranquilidad que ellos "no han entendido". Eso es ser poderoso, porque implica no manchar su energía con la insensatez de otros ni con la ira que generan las acciones de los demás. Es ser intocable en un mundo en el que lo espiritual no existe como en las ideas socialistas chinas. Recordemos que el ejército chino está conformado por casi cien millones de personas, y ante esos cien millones, un hombre solo ha entregado el perdón. Eso es ser poderoso.

Ser poderoso es ser lo que quieres ser frente a lo que sea, frente a cualquier acto, acción o circunstancia. El presidente de Estados Unidos no es poderoso porque en buena medida lo único que busca es la aceptación y el amor de su padre. Lo que está demostrando es su enorme debilidad, es a él a quien habría que tenerle compasión porque necesitará unas seis o siete vidas para entender lo que está haciendo en ésta.

Claridad

Elemento: Aire.
Color: Blanco.
Se manifiesta en: Ojos

La claridad tiene que ver con la conciencia, pero sobre todo tiene que ver con el deseo, más que con la verdad, porque la verdad está relacionada con la realidad. Cuando uno tiene claridad en los deseos, sabe adónde se dirigen los pasos, pero cuando no tiene, no se sabe adónde ir y se es incapaz de ver lo que se hace. Puede ser que afirme algo mientras actúa exactamente en sentido contrario.

La claridad es una virtud de juego, de felicidad, pero como la gente le teme a la verdad piensa que la claridad puede ser dolorosa por deslumbrante. En realidad lo que es doloroso es la mentira, no la claridad. El que uno se acerque a ella depende de si estamos o no en contacto con nuestro interior y de nuestras creencias sobre la claridad. Ahora bien, lo que le han enseñado a uno acerca de la claridad también depende de qué es lo que uno ha querido aprender y qué es lo que ha asimilado.

Aire La claridad es la esencia base de Aire porque necesita claridad para existir, igual que amor. La claridad de Aire va a manifestarse como libertad, es decir, que la prueba más evidente de que Aire es claro es que es libre. Los hijos de Aire que no son libres son los que sufren, pueden no estar conscientes de su poder y pueden no tener amor y no pasarla bien, pero cuando no son libres son seres que han perdido todo, que han perdido su esencia. La claridad es la libertad en los seres de Aire; cuando la tienen, entonces tienen lo más preciado para ellos.

Tierra La claridad en Tierra es el entendimiento cuidadoso. Tierra siempre trabajará y cuidará hasta los últimos detalles hasta que logre entender con claridad, no importa que eso le lleve 300 siglos o 300 años ó 3 meses, los seres de Tierra siempre están dispuestos a entender, eso es la manifestación de claridad en Tierra.

Fuego La claridad en Fuego se vuelve luz. En este elemento, la claridad significa tener la luz suficiente para comprender el mundo y unificarlo, la capacidad de renunciar a nuestras ideas. Todos los seres de Fuego reencarnan para vencer las pasiones humanas. La claridad hace que esas pasiones sean claras o reales para ellos. La claridad en Fuego normalmente se convierte en propósito de vivir y en purificación de todo lo que está a su alrededor y lo que es molesto.

Agua En Agua la claridad también tiene que ver con la purificación, es decir, con la capacidad de siempre reflejar el cielo o enseñar nuevas posibilidades. La claridad en los seres de Agua es su honestidad.

Se puede decir que la claridad y la verdad no tienen aspectos negativos, si acaso, la imprudencia.

Verdad

Elemento: Agua.
Color: Verde.
Se manifiesta en: Articulaciones.

La verdad única no la puede ver el ser humano; la verdad del Universo está más allá de la capacidad de entender del individuo. Por eso, puede ser tan parcial en la escala humana y de un mismo hecho puede haber muchas interpretaciones o verdades. Ahora, eso no es lo mismo que contarse una mentira para no ver la verdad, porque esto tiene que ver con uno, con la relación entre ser y su esencia. Los diferentes puntos de vista sobre una misma cosa, siempre y cuando sean verdaderos, enriquecen, crecen, alimentan, ayudan, pero cuando uno se miente a sí mismo le está mintiendo al Cosmos y crea conflictos severos.

Aire En los seres de Aire la verdad se convierte en belleza y en entendimiento, porque son seres que después de descubrir la belleza de la verdad se enamoran de ella y harán que los demás seres la encuentren y la vean.

Tierra En los seres de Tierra la verdad se manifiesta como paciencia, porque pueden dedicarse a entenderla, igual que a la claridad, o más bien, usarán la claridad para entender la verdad con toda la paciencia del mundo. La verdad se convierte así en paciencia en los seres de Tierra y en integridad, en lealtad a las ideas reales y profundas.

Fuego La verdad en los seres de Fuego es un arma de dos filos, porque la verdad es muy difícil de decir de frente con claridad o incluso formularla con palabras. La verdad en los seres de Fuego lleva a la purificación. Es un puente de choque porque enfrentar la verdad cuando se ha venido a vencer pasiones humanas es muy complicado.

Agua En los seres de Agua también es purificación, pero igualmente es honestidad. La verdad es vital para Agua; sin ella no tiene razón de existir porque Agua es el elemento de la verdad. Por eso, cuando la verdad falta en un ser de Agua, falta una de dos partes.

Las contrapartes negativas de claridad y verdad son casi inexistentes, como lo dijimos anteriormente. En todo caso se podría hablar de imprudencia, de decir la verdad en el momento inadecuado.

Fuerza

Elemento: Fuego.
Color: Amarillo.
Se manifiesta en: Genitales.

En cuanto a la fuerza, también depende cuál es el concepto que se tiene de ella. Cuando la nieve se acumula sobre una rama muy rígida en un árbol, puede romperse, mientras que si la rama es delgada y flexible deja que la nieve resbale. No importa cuánta nieve caiga, ella no se va a romper y será más fuerte que la aparentemente sólida. La flexibilidad es una enorme fuerza, igual que la humildad. La humildad es virtud de reyes, la flexibilidad es virtud de sabios. Y ambas son fuerzas. Pero el problema frecuente es el concepto que se tiene de fuerza: muchas veces la posesión de bienes materiales ayuda a que la gente sienta fuerza, pero es tan engañoso que puede traer problemas. Depende de cuál sea nuestro objetivo más profundo.

Aire La fuerza de Aire es la comunicación, es la capacidad de entregar, relacionar y compartir conocimientos, ideas, llevar y traer, esa es su fuerza. Se manifiesta también en su libertad, pero sobre todo en su capacidad de cambio. Un aspecto negativo es el ser traidor o chismoso.

Tierra La fuerza de la Tierra es su paciencia. Un aspecto contrario en un ser de Tierra es que puede detenerse tanto tiempo que después ya no valga la pena moverse.

Fuego Fuerza se manifiesta en los seres de Fuego como coraje, empuje y precisión hacia donde quieren ir; la verdadera fuerza de Fuego está en su capacidad de crear luz y valor, es decir, de transformar las cosas a su alrededor. Es importante que los seres entiendan la fuerza como su verdadera esencia. Tanto fuerza como poder son esencias de Fuego, son vitales como amor es para Aire, verdad para Agua o claridad para Tierra. Hablar de fuerza para Fuego es de vital importancia. En su aspecto negativo un ser de Fuego puede ser un gran manipulador.

Agua La fuerza de Agua es la capacidad de la adaptación porque es el único elemento que puede tomar la forma de lo que lo contiene. Aspecto negativo: un ser de Agua puede perder la conciencia de sí mismo por estar adaptándose a los demás.

CAPÍTULO 5

Virtudes derivadas (o secundarias) y sus funciones en relación con los elementos

Algunas virtudes son derivadas o complementarias de dos o más básicas. Por ello las encontrarás repetidas varias veces en esta sección. Se presentan así para que sea más fácil localizarlas cuando las necesites, tanto para su explicación como para el trabajo terapéutico y oracular que aparece más adelante en el libro.

Virtudes derivadas de amor

Alegría

Alegría, al igual que entusiasmo, significa tener a Dios dentro de sí. La alegría es la manifestación de la conciencia divina; una de las expresiones más importantes para relacionarse con otros, para encontrar puntos de convergencia incluso en comunidades enteras.

Aire Se presenta como la virtud más importante en este elemento, ya que es la alegría de vivir y de entregar.

Tierra Se manifiesta por completo como una liberación. Ayuda a los seres de Tierra a vivir y a liberar sus sueños, sus objetivos; también significa mucho para ellos por su manera de unir a las personas.

Fuego En Fuego la alegría se manifiesta como vivacidad, es un beneficio de poder y una liberación.

Agua En Agua la alegría es más bien extraña y llega a ella en modos un poco tortuosos con la ironía, la crítica o la escatología.

Hermandad

Hermandad es la capacidad de tolerar y aceptar al otro cuando uno es capaz de tolerarse y aceptarse a sí mismo.

Aire Los seres de Aire son tan cambiantes que la hermandad se les da difícilmente, pero cuando llega es muy firme, y su manifestación suele ser de mucha alegría.

Tierra La hermandad es muy común y, por lo general, muy larga para los seres de la Tierra gracias a la idea de libertad que tienen.

Fuego La hermandad es posible y muy común en este elemento, el problema es que puede ser muy superficial y difícilmente llega a profundidad.

Agua Difícilmente puede manifestarse, porque los seres de Agua son desconfiados, solitarios y sobre todo quieren aparentar lo contrario, pero cuando la hermandad logra surgir puede ser muy larga.

Creatividad

Creatividad es la manifestación del verdadero ser, es una derivación de amor porque crear siempre es un acto amoroso; es una derivación de libertad, porque la creatividad es un acto del ser triste: cuando un ser vacío, humillado o que vive encerrado, ejerce esa capacidad, se libera porque permite que su ser real, su verdadero ser, se exprese, se presente, y deja de estar triste. A manera de ejemplo: si quienes trabajan en un rastro pudieran pintar, escribir o crear algo, lo que fuera, liberarían mucha de la energía negativa con la que se alimentan todos los días y sería una forma de recuperar la salud, la estabilidad y una mejor forma de vivir en la Tierra.

Aire Se manifiesta en los aspectos comunitarios, y en la capacidad de cuestionamiento hacia los demás.

Tierra La creatividad se manifiesta en lo cotidiano, en el quehacer de todos los días, como la cocina, la decoración, la arquitectura o todo lo que signifique bienestar.

Fuego La creatividad es enorme sobre todo en los hijos de Sagitario ya que es un ejercicio de su poder. Éste suele expresarse como encanto o magia especial que atrae como imán a los demás. Ejemplo de ello son los grandes actores o famosos artistas que han sido Sagitario y que han gozado de la energía de la creatividad. Existen actores de todos los elementos, pero muchas veces los más carismáticos y populares, los que llaman a más gente, son Sagitario.

Agua La creatividad se da a partir de las palabras, de lo que se aprende en soledad; por eso las personas de Agua son más creativas en lo individual que en lo colectivo y tienen la capacidad de cuestionarse a sí mismas.

Perdón

Perdón es la posibilidad de creer en otros como se cree en uno mismo. Es una manifestación del amor y del poder porque el perdón es un privilegio para seguir aprendiendo de los errores. Es más importante perdonarse a sí mismo que perdonar a los demás.

Aire Se manifiesta como evasión del perdón, el cual no hacen conciente o lo rehúyen; cuando logran contactar con el perdón, los seres de Aire adquieren incremento en el conocimiento.

Tierra Se manifiesta como paciencia.

Fuego Se manifiesta como poder.

Agua A los seres de Agua es a quienes les resulta más difícil perdonar, y es frecuentemente una de sus misiones porque tienen muy buena memoria y la buena memoria no está relacionada con el perdón. La buena memoria ayuda en muchas cosas, pero también actualiza el daño recibido en el pasado, por eso resulta conflictiva.

Ternura

Ternura es la manifestación de la vulnerabilidad de nuestro ser.

Aire Es una de sus armas de comunicación y como Aire es amor, ternura es una manifestación muy común. Ternura funciona como juego, diversión y risa.

Tierra Es muy constante y se manifiesta como dedicación, atención a los detalles.

Fuego La ternura se manifiesta muy difícilmente porque Fuego abrasa, no sabe ser tierno. Si logra contactar con la ternura, logra calidez, pero es difícil que lo haga

Agua La expresa, pero no de inmediato, sino después de un proceso y aunada al interés.

Tener conciencia de cómo nos relacionamos con los demás y el que los otros nos retroalimenten, puede ayudarnos a crear ternura. Para aplicarla como cura lo mejor es aprovechar a los animales domésticos y a las plantas.

Belleza

La belleza es la perfecta proporción de las formas para generar satisfacción y placer en los sentidos de los humanos.

Aire Es una manifestación esencial de este elemento; la belleza en Aire siempre se debe manifestar como gozo, como placer, es una búsqueda eterna.

Tierra Tiene que ver con las cosas pequeñas, con las cosas cotidianas, pero éstas han de ser bellas para que a diario estén presentes en la vida de las personas.

Fuego Es una forma de admiración, se presenta como imaginación u objetos a desear.

Agua Tiene que ver con las formas simples y puras, con la belleza del conocimiento y del saber.

Armonía

La armonía es equilibrio, es la virtud que reúne diferentes elementos para aprovechar sus mejores partes en busca de un punto en común y desechar lo innecesario.

Aire Es la capacidad de encontrarse cómodo en el Universo, el equilibrio entre libertad y tranquilidad.

Tierra Tiene que ver con la paz, con la solidez de la vida y con la estabilidad.

Fuego Tiene que ver con el equilibrio entre el poder, la fuerza y la humildad.

Agua Consiste en el equilibrio en sus tres formas de manifestarse (sólida, líquida y gaseosa).

Transformación

La transformación es la capacidad de encontrar todas las opciones de nuestro ser por más contrastantes que sean entre ellas.

Aire Este elemento todo lo quiere transformar con comunicación y belleza. La transformación en Aire es muy importante y se manifiesta en creatividad y en su capacidad de construir, aunque luego olvide lo construido.

Tierra Es la capacidad de construcción, pero mucho más sólida que en Aire; la transformación en Tierra siempre es paulatina, pero segura y constante. Se manifiesta rápido o muy lentamente, pero siempre trabaja consigo misma, no transforma otros elementos, los engulle y los vuelve parte de sí.

Fuego Tiene que ver con la destrucción de lo que quiere transformar para convertirlo en otra cosa. La transformación en Fuego se puede ver como el mito del ave fénix, que renace de sus propias cenizas.

Agua Es una cualidad de Agua, toda vez que puede manifestarse en diferentes estados dependiendo de sus necesidades.

Paciencia

La paciencia es la tolerancia hacia los demás sabiendo que aprendemos de ellos al mismo tiempo que nos comprendemos a nosotros mismos.

Aire No existe o es muy limitada, muy poca gente de Aire tiene paciencia. Al menos que esté cerca del amor. La paciencia es una derivación de amor, sobre todo para Aire, porque es la única manera en la cual se permite ser paciente.

Tierra La paciencia es arte de Tierra y de Agua, pero sobre todo de Tierra, y es en este elemento donde es más comprendida. La paciencia en Tierra puede ser infinita.

Fuego Al igual que en Aire, también es muy difícil que aparezca, para ello tiene que estar ligada con la humildad, pero eso en los seres de Fuego no es común.

Agua La paciencia puede ser infinita. Puede estar rodeada de perdón, lo cual la convierte en una misión que lleva a la sabiduría. Pero si va acompañada de rencor, éste la conduce a la venganza. Hay que recordar que no hay seres más vengativos que los de Agua y por desgracia, es para eso que suelen usar la paciencia.

Gracia

Gracia es la capacidad de hacer de lo cotidiano algo extraordinario, o lo que siempre hacemos, de una manera especial. El estado de gracia es ser capaz de encontrar lo extraordinario en lo cotidiano y vivir un hecho extraordinario como algo cotidiano.

Aire Es muy constante en Aire y se manifiesta como buen humor, alegría, capacidad de gozo y expresión de la belleza.

Tierra Está cercana sobre todo a las cuestiones sexuales y lo relacionado con la atracción al otro.

Fuego Es el entusiasmo y la vivacidad, la capacidad de reunir a otros para formar un conjunto, un mundo gracioso, un mundo lleno de gracia.

Agua Se manifiesta siempre de una manera muy dinámica, pero también muy sutil y se acerca a la concepción de Tierra en cuanto a su capacidad de atraer a otros sexualmente.

Gratitud

La gratitud es la capacidad de devolver los dones recibidos.

Aire Difícilmente se manifiesta porque los hijos de Aire rara vez tienen tiempo antes de pasar a otra cosa, pero cuando se presenta se manifiesta a fondo.

Tierra Es una constante, casi siempre encuentra un espacio dentro de cada ciclo para dar las gracias por lo vivido.

Fuego Es muy inconstante, pero por razones muy distintas a las de Aire, ya que en este caso lo que se valora es si lo recibido merece gratitud o no.

Agua Está relacionada con la sabiduría y el conocimiento.

Confianza

Confianza es ser capaz de creer en otros porque uno cree en uno mismo.

Aire En Aire es muy común, pero también muy superficial.

Tierra En Tierra es muy constante y profunda a pesar de las traiciones. El problema es que se use como una manera de encubrir, es decir, para no querer ver la realidad. Es muy común que los seres de Tierra no quieran ver la traición y entonces prefieran seguir creyendo aunque esté presente.

Fuego La confianza se manifiesta sobre todo cuando los hijos de Fuego son capaces de creer en sí mismos, aunque les resulte difícil.

Agua La confianza persiste y es profunda y completa.

Virtudes derivadas de poder

Fuerza

Fuerza es conocimiento del poder, por eso es su derivada, y existe para hacer conciencia de qué se puede hacer y qué no. Si realmente tengo conocimiento de mí mismo sé que todo lo puedo, pero ese conocimiento es raro, o bien, es paulatino.

Aire Se manifiesta como la sed de conocimiento. Aire es muy curioso y siempre está queriendo saber cosas diferentes, el problema es que no llegue a enterarse a profundidad de lo que podría conocer a fondo.

Tierra Se manifiesta como estabilidad; su capacidad de paciencia y tolerancia le dan una estabilidad que los demás elementos no tienen, esa es la gran fuerza de Tierra.

Fuego La fuerza es su poder, su conocimiento, su vitalidad y poder de liderazgo. El problema es la arrogancia que eso implica para los seres de este elemento.

Agua Su fuerza es el conocimiento ya adquirido y forma parte de su ser, el que puede ejercer. El problema es que el conocimiento adquirido lo vuelve fuerte y por eso puede usarlo para manipular.

Creatividad

La creatividad es una forma de poder y está relacionada también con el amor, es una manifestación de poder amoroso; hay manifestaciones de poder en otros sentidos, este es amoroso.

Cuando soy capaz de expresar mi propio ser, tengo un enorme poder; también es una enorme fuerza mi poder creativo. El máximo poder al que puedo aspirar es la creatividad, porque es la unión de poder y amor, la liga de dos brigadas así de importantes y fuertes. Normalmente es muy importante. La mayor parte de los problemas del ser humano se acabarían junto con sus enfermedades si fuera más creativo, porque tendría interés en la vida, porque permitiría la expresión de su ser.

No todos los que pintan son artistas, ni todos los que pintan pueden ser creativos, pero hacerlo es un paso, un inicio. Todas las actividaes como escribir, pintar, bordar, coser, incluso cocinar, son manifestaciones de creatividad, ya que implican un contacto con el ser interno. Cuando creo que estoy obedeciendo a mi ser, lo estoy dejando ser, permitiendo conocerme, compartir con los demás. Es uno de los actos más importantes que puedo llevar a cabo, es un acto de libertad, y hacerlo es un paso que me puede llevar a la maestría y convertirme en un profesional de la creación. Cuando soy creativo y profesional, y soy capaz de compartir con los demás y hacer que los otros lo disfruten y con ello cambie su vida, entonces puedo decir que soy un artista.

La creatividad se manifiesta en todos los elementos, dándoles la oportunidad de desarrollarse plenamente.

Entusiasmo

Entusiasmo es tener a Dios dentro de uno mismo; significa tener energía limpia y dedicada al placer, a la vida.

Aire Se manifiesta en la risa, la diversión y el gusto en el juego.

Tierra Es la capacidad de perseguir un objetivo; es la lucha cotidiana por alcanzar ese objetivo, es la tenacidad.

Fuego Se manifiesta en la planificación y en la inquietud de vivir.

Agua Se expresa como la necesidad de saber. Una de las hijas de Agua más privilegiadas que ha tenido la Tierra dijo: "Yo estudio por saber más y no sólo por ignorar menos" (Sor Juana Inés de la Cruz), esta es la manifestación más clara del entusiasmo en Agua.

Valentía

La valentía o el coraje es la capacidad de afrontar los obstáculos que nos rodean para cumplir nuestra misión. El coraje es una manifestación de poder y fuerza y sólo tiene valor cuando se sabe quiénes somos y tenemos conciencia de hacia dónde vamos.

Aire Su valentía está en su capacidad de negociar.

Tierra Los seres de Tierra también son negociadores, sobre todo los de Virgo son excelentes diplomáticos.

Fuego Su coraje es patente aunque no siempre está bien encauzado, es claro y su arrojo es normal; un ser de Fuego que no tiene arrojo es la muestra más clara de que va en contra de las características de su signo y de quien es.

Agua Es muy difícil encontrar la valentía para afrontar al mundo. Agua prefiere darle la vuelta a las dificultades, prefiere envolver para manipular, pero cuando logra encontrar la fuerza para enfrentar, su coraje es mayor que el de los otros elementos.

Fe

Fe significa confianza en sí mismo, conocimiento, es consecuencia de saber a dónde voy y saber que la intuición me lleva a donde debo ir. La fe es tener confianza en la parte más sabia de mí mismo, la que lleva muchos siglos en la Tierra y sabe más que la otra, aquella que ha sido educada sólo en esta vida. También es la ausencia de temor y está enlazada con la sonrisa. Hay que recordar que la fe es una forma o manifestación de la sabiduría y por tanto es una herramienta de poder; sólo se tiene fe porque se sabe, se conoce, se entiende.

Aire La manifiesta con dificultad, pero cuando se da en Aire, es con despreocupación por lo que pueda venir en la vida.

Tierra Es más común que exista la fe en Tierra que en Agua y normalmente tiene un carácter místico.

Fuego. Sólo existe como arma al servicio de sí mismos: creen en ellos y después en lo que los rodea. Ésta es su manifestación más positiva, de otra manera es casi inexistente.

Agua. Se expresa con dificultad, rara vez hay fe y confianza en algo, pero cuando aparece tiene un carácter místico, igual que en Tierra.

Humildad

Es una herramienta porque sólo se rinde o sabe ser humilde quien está dispuesto no a ganar, sino a ver. Rendirse es dejarse vencer por la parte más sabia de uno mismo, dejar de poner a la obstinación, la terquedad o la necedad de por medio.

Aire Los hijos de Aire son humildes con facilidad, no son muy apegados a mantener un objetivo hasta sus últimas consecuencias, normalmente si no lo consiguen, no vuelven a intentarlo. En el mejor de los casos, se pueden rendir a su capacidad de inventar o de crear.

Tierra Le es difícil escuchar: por lo general la necedad, la terquedad o la obstinación pueden ser elementos que hagan que Tierra desoiga los consejos de la humildad, pero cuando la escucha, lo hace con calma y logra llevarla a cabo con su parte más sabia.

Fuego No acepta fácilmente la humildad: debe enfrentarla muy dramáticamente para aceptarla. La característica más difícil de vencer para poder rendirse a su parte más sabia no es la terquedad, como en Tierra, sino el orgullo.

Agua Es bastante común, siempre y cuando actúe en consecuencia con su elemento, es decir: mientras la vida siga fluyendo, la humildad es constante y siempre ayuda al conocimiento.

Responsabilidad

Casi siempre se percibe como algo que abruma; sin embargo, la responsabilidad libera porque no es lo mismo sentirse culpable que sentirse responsable. Si alguien se siente culpable, no actúa; si se siente responsable, tiene cosas que hacer, tiene cómo actuar. Si uno se siente culpable, se siente cómodo porque sólo hay que esperar a recibir el castigo, no hay que moverse. En cambio, si uno se siente responsable sabe que puede hacer algo, y eso lo libera del dolor que genera la culpa. Entonces, la responsabilidad es una forma de ser libre, una manera de tomar la vida entre las manos, hacer lo que uno quiere y enfrentar las consecuencias de los actos realizados.

Aire Es difícil encontrar seres de Aire responsables, porque no les gusta, se sienten atados; sin embargo, cuando los hay, son profundamente responsables.

Tierra Es una de las características principales de este elemento. Le gusta ser responsable, incluso a veces de lo que le es ajeno. Una de las grandes cualidades de la responsabilidad es que se puede saber cuándo un problema le corresponde a uno o no. Tierra está en el polo opuesto a Aire, se hace responsable de más.

Fuego Siempre está buscando cómo delegar las responsabilidades a otros.

Agua El problema es que sabe dilucidar muy bien la responsabilidad de otros, pero no la suya y lo que tiene que aprender por principio es a esclarecer la suya, es decir, ver la verdad dentro de sí mismo.

Transformación

Transformación tiene que ver con los cuatro elementos, pero en diferente medida. Transformación es mostrar la cara distinta y oculta de un ser, una cosa, un pensamiento o una energía.

Aire Por lo general, transforma desgastando, transforma moviendo, haciendo circular.

Tierra Transforma pausadamente, como es su naturaleza, de manera cíclica, ordenada y paulatina, como se transforma ella misma a lo largo de las cuatro estaciones o en el atardecer o el amanecer.

Fuego Transforma brutalmente, reduce a cenizas o convierte la química interna de otros elementos o cosas.

Agua Se transforma a sí misma y acariciando a otros, a través del tacto. El problema es que esa capacidad de transformar a otros puede ser una manifestación de manipulación.

Confianza

La confianza está ligada a la fe. La confianza es ser capaz de creer y seguir creyendo. Significa conocerse a sí mismo y conocer las capacidades que uno tiene y fiarse de ellas. Confiar es una esencia que implica poder y amor, porque es el poder que el amor otorga: si uno se ama, puede confiar en sí mismo; si ama a otra persona, puede confiar en ella.

Aire Es una virtud muy común, común hasta en exceso. Los seres de Aire son inmensamente confiados en sí mismos y en los demás. A veces este puede ser su defecto, pero es algo que es esencialmente de Aire. Aquel ser de Aire que es desconfiado, está yendo contra su propia naturaleza, que es confiar en los otros, en el Universo y en sí mismo.

Tierra Es una virtud común, aunque menos que en Aire. Los seres de Tierra son capaces de confiar en otro, siempre y cuando puedan observar.

Fuego La confianza depositada por Fuego y traicionada se vuelve rencor inmediato y gran sed de venganza; por eso los seres de Fuego aprenden pronto a no confiar, confían más en sus pasiones que en sus ideas, lo que les trae problemas.

Agua Es casi nula su confianza, es uno de sus problemas a resolver casi siempre. Agua utiliza la desconfianza como una forma de defensa para relacionarse con otros.

Inspiración

La inspiración es un poder porque implica ser capaz de ejercer la energía para expresar al ser interior. La inspiración es la virtud que saca de los seres lo mejor de sí mismos para compartirlo; es un acto de amor y es un ejercicio de poder. Sólo se inspira quien cree que tiene algo que decirle al mundo y algo que hacer en él. La inspiración es una forma de transformarse en canal, siempre y cuando exista el contacto con su ser y haya una solicitud antes de nacer de lo que uno quiera desarrollar.

Hay inspiración que puede ser momentánea cuando se está haciendo algo y hay inspiración que puede cambiar la vida de una manera constante y a largo plazo, es decir, aquella que crea una manera distinta de vivir y que implique un proceso largo de modificación de nuestros hábitos. Se puede decir que la vida de la mayor parte de los artistas es una vida inspirada el día en que son capaces de oír su voz.

Aire Le es cotidiana y común; si no hay creatividad, confianza ni momentos de inspiración aunque sean breves, un ser de Aire está yendo en contra de su naturaleza.

Tierra Se da sobre todo en lo espiritual y en lo relacionado con los sentidos: la cocina, los vinos y bebidas, la vista y todo lo que tiene que ver con las artes plásticas, el oído y lo referente a la música.

Fuego Es arrebatadora, pero corta y debe aprovecharse al máximo en el breve periodo que exista. Los hijos de Tierra tienen una inspiración menos apasionante, pero más constante durante un periodo más largo y en Fuego es exactamente lo opuesto, es momentánea, rápida y enorme.

Agua Es una de las virtudes más comunes, sobre todo para los seres de Escorpión porque son quienes más se adentran en sí mismos para saber algo.

Abundancia

Abundancia es un poder y también es una manifestación de la confianza, la fe y el amor. Si uno se ama a sí mismo se tiene fe y confianza, y entiende que el Universo al ocuparse de todo su ser también se ocupará de su bienestar y no permitirá que muera de hambre ni de frío ni que esté sin casa, por eso la abundancia es una manifestación de la autoestima, pero también de la energía de las personas, de la energía que son capaces de generar para proteger su vida cotidiana.

Aire Escasea sobre todo por exceso de confianza, se confía tanto en que habrá abundancia que no se cuida ni valora cuando se debe apreciar. Los hijos de Aire lo pueden perder todo.

Tierra Es algo que constantemente preocupa, y mucho, a las personas de este elemento: están muy ocupadas obteniéndola, cuidándola, resguardándola y haciéndola de alguna manera parte integral de su bienestar, mucho más que los seres de Aire o Fuego.

Fuego En ellos es una especie de reclamo, los hijos de Fuego por lo general creen que no tienen todo lo que merecen y consideran que es un enemigo a vencer.

Agua Se da sobre todo en los seres de Cáncer porque ellos siempre creen que necesitan protección y que la mejor manera de protegerse es con dinero o abundancia. La abundancia es generosa, es una abundancia que entregará lo que corresponde exactamente a cada quien con un enorme afán de justicia.

Voluntad

Cualquier acto de la vida necesita de esta esencia para llevarse a cabo, para llegar a buen término.

Aire Pueden tener esta virtud al inicio de un proyecto o en la realización de un deseo, pero a la mitad del camino la pierden puesto que ya no están interesados en el deseo inicial.

Tierra Sobre todo los Capricornio y, en segundo grado, Tauro, tienen muy marcada la tendencia a terminar las cosas y a cumplir cualquier propósito que se propongan.

Fuego Es vital en ellos. Algunas veces se vuelven voluntariosos o berrinchudos con tal de obtener su deseo.

Agua No es precisamente la mayor de sus cualidades.

VIRTUDES DERIVADAS DE CLARIDAD

Luz

La luz es el poder contra las tinieblas, es el poder del amor, de la sabiduría, de lo que se ilumina en el mundo gracias al conocimiento, la paz y el amor.

La luz es una de las virtudes más importantes y está asociada normalmente con otros elementos, como Fuego o Aire, y otras virtudes, como poder y amor. La luz es vital para todos los elementos y todas las virtudes y es sobre todo una manifestación de sabiduría, conocimiento, entendimiento y por tanto de amor.

Aire Es usual, pero Aire siempre trata de poner en duda a la luz, no de usarla.

Tierra Siempre trata de usarla, pero cuando no quiere verla es muy difícil que logre penetrar la luz del pensamiento.

Fuego Es una virtud muy frecuente, pero muy mal utilizada en este elemento.

Agua La luz es vital, pero como todas las virtudes que son vitales en Agua, les resultan problemáticas. Al ser la luz una manifestación de sabiduría se convierte en una especie de contraataque en los seres de Agua. Casi todas las virtudes que son esenciales para Agua se vuelven su conflicto y es posible que por eso no las quieran recibir.

Salud

La salud tiene que ver con claridad porque es una manera de saber el origen de los males que atacan al ser humano o de lo que no está funcionando en su vida. La salud es la manifestación del deseo de vivir y morir o de relacionarse con otro. Muchos médicos están vinculados con la crueldad. En cambio, el médico de cuerpos y almas está relacionado con la búsqueda del conocimiento y una de las virtudes que debe llamar es la curación, para poder sanarse él y sanar a los demás.

Elementos Normalmente la salud es una virtud de Agua y de Aire, pero hay seres de Tierra y de Fuego que sin duda pueden tenerla.

Propósito

Propósito ayuda a tener claridad en nuestro plan de vida y en nuestros proyectos. Propósito ayuda a saber nuestro camino en interrelación con el mundo.

Aire Difícilmente se entera de cuál es su propósito.

Tierra Es muy normal que tampoco se enteren de cuál es su propósito, pero sobre todo en los seres de Tauro. En Capricornio como en Virgo el propósito puede ser muy claro, aunque más en aquél que en éste, porque en Virgo parecen existir muchos propósitos distintos y en Capricornio hay uno por el cual se vuelca hasta que lo consigue. Tauro no es así, se pierde muy fácilmente en cuanto a sus propósitos.

Fuego Se manifiesta con fuerza en Aries; en los otros dos (Sagitario y Leo) es una virtud casi inexistente.

Agua Cáncer es el signo que mejor va a encontrar su propósito. Piscis normalmente lo pierde y Escorpión tiene mucha claridad en su propósito, pero siempre es oculto para los demás.

Honestidad

Honestidad es en relación con claridad su humor patente, es la manifestación de la transparencia y el ser capaz de enfrentar lo que se es y el mundo en que se vive.

Aire Es confusa, porque de tanto ir y venir ellos mismos pueden perder la honestidad, pero cuando se da es muy clara.

Tierra Es de vital importancia; sin ella los hijos de Tierra no se permiten establecer ninguna relación.

Fuego Es casi inexistente.

Agua Es la base que necesitan en su vida.

Libertad

La libertad es la posibilidad de ser, hacer y decidir en nombre del verdadero deseo. Libertad es una virtud de la claridad porque sólo cuando sé quién soy, soy capaz de ejercer mi libertad.

El trabajo que se puede hacer para recuperar la libertad es la conciencia, conciencia de quién soy y sobre todo conciencia de que no es un valor que debo ganar, sino que es un valor con el que nací, como el derecho de respirar: nadie me enseña a respirar y nadie me da permiso para hacerlo; con la libertad es igual.

Aire Es una de sus virtudes básicas y, por lo tanto, la libertad es inherente a los seres de este elemento.

Tierra No les es tan importante, pero les produce una vida más placentera.

Fuego y Agua Casi no existe para estos elementos, salvo en los individuos que han conectado con su ser.

Purificación

La purificación es la claridad del cuerpo, es quitar lo que sobra, lo que está ensuciando o lo que está estorbando en el cuerpo, la mente, el alma o la casa. Todo aquello que estorbe, así sea un ser querido, debe quitarse, todo aquello que ensucie, así sean comentarios de otras personas, debe eliminarse. Eso es purificación, la purificación se manifiesta en todos los elementos.

Aire Purificarse es cambiar de lugar.

Tierra Purificarse es acercarse a su elemento.

Fuego Purificarse significa romper con todos los conceptos adquiridos en esta vida (y a veces en vidas anteriores).

Agua Purificarse significa darse la oportunidad de cambiar de estado, de mutar, de ser creativo con nuestra propia esencia.

Armonía

Armonía sólo puede nacer de la claridad, porque cuando un ser sabe el lugar que ocupa en el Universo se armoniza, porque ocupa su lugar exacto. Armonía es una manera de equilibrar, redondear y crear.

Aire y Tierra Es típica de los seres de Aire y de Tierra.

Fuego No es tan característica en todos los hijos de Fuego, pero se dan muchos casos.

Agua Tampoco es muy usual en los seres de Agua, pero cuando se da, se da profundamente.

Paz

La paz es una virtud que sólo se puede tener si hay claridad, paciencia y conocimiento. Es una virtud de sabiduría y de amor.

Aire y Fuego Difícilmente Aire o Fuego la tendrán ya que por su naturaleza se encuentran en constante movimiento.

Tierra y Agua Tierra y Agua no pueden vivir sin ella.

Equilibrio

Equilibrio es una virtud que se puede tener a través de claridad, porque las dimensiones de las cosas en los asuntos de la vida entran en equilibrio sólo cuando se tiene la claridad para verlo. El equilibrio es una virtud muy poco usual en todos los elementos. Normalmente significa que se puede ser equilibrado siempre y cuando se tenga la claridad para poner en la balanza cosas que pesen lo mismo.

Elementos No hay variación según los elementos.

VIRTUDES DERIVADAS DE VERDAD

Entendimiento

El entendimiento es una virtud derivada de verdad, porque sólo se entiende cuando uno es capaz de enfrentarla; está relacionado con la verdad porque nunca entendemos aquello que no tenga un origen verdadero. El entendimiento es una virtud muy difícil de localizar; como primer paso en la sabiduría es una de las más difíciles de ubicar entre los hijos de los elementos.

Aire y Tierra Puede resultarles menos difícil, pero nunca fácil.

Fuego La verdad está en contra de Fuego porque para un hijo de este elemento la verdad se vuelve muy agresiva.

Agua Tal vez Agua sea el elemento más cercano a la naturaleza del entendimiento pero a sus hijos no les gusta ver la verdad y prefieren ocultarla aunque la conozcan.

Salud

Sólo sana la verdad; hay que recordar que todas aquellas virtudes que aparecen dos o tres veces es porque tienen aspectos en común con las virtudes de las que derivan o con las que complementan. En ese sentido, verdad es esencial para la curación porque nadie sana si no hay verdad.

Elementos No hay variación según los elementos.

Honestidad

La verdad y la honestidad están relacionadas porque son igualmente difíciles de obtener para todos los hijos de los elementos. La honestidad como derivada de la verdad implica no sólo conocerla sino ser capaz de enfrentarla y decirla.

Elementos No hay variación según los elementos.

Purificación

La purificación es una manifestación de la verdad; tiene la facultad de purificarlo todo, siempre y cuando la verdad permanezca. El trabajo de purificación es una manera de alejar las mentiras de la verdad.

Elementos No hay variación según los elementos.

Belleza

Decían los griegos: "es bello porque es verdadero", pero no todo lo verdadero es bello. La belleza está relacionada con seres humanos, no importa a qué elemento pertenezcan, todos son capaces de crear belleza.

Elementos No hay variación según los elementos.

Integridad

La integridad es parte de la verdad porque es consecuencia de ella. No hacer cosas en contra de la verdad es integridad.

Aire Puede ser íntegro o no.
Tierra Normalmente es una característica básica de este elemento.
Fuego Por lo general no se manifiesta.
Agua Se expresa muy ocasionalmente, pero cuando es parte de Agua es muy fuerte.

Paciencia

La paciencia está relacionada con la verdad en la medida en que soy capaz de ver mis propios defectos y tener paciencia con los de los demás.

Elementos No hay variación según los elementos.

Paz

La paz es la consecuencia de la verdad; ningún ser humano llega a la paz sin que la verdad haya hecho o dicho algo. No hay una relación entre paz y paciencia en el sentido estricto, pero sí en el entendimiento de que sin paz no puede haber paciencia.

Elementos No hay variación según los elementos.

VIRTUDES DERIVADAS DE FUERZA

Entusiasmo

El entusiasmo es una herramienta humana, es una fuerza para seguir vivos, para aprender y para compartir lo que aprendemos.

Aire y Tierra Es vital para estos elementos.
Fuego y Agua No les es muy cercano.

Valentía

La valentía está relacionada con el sentido de la fuerza que produce saber que algo es verdad y además enfrenta a la verdad. La toma de decisiones se da desde la verdad. Esta relación es la fuerza entre los individuos.

Elementos No hay variación según los elementos.

Fe

La fe es una fuerza porque todos somos capaces de movernos por ella, porque nos da sostén, nos permite crecer y se convierte en un eje de movimiento. La plenitud es una herramienta, es una fuerza porque nos ayuda a seguir caminando. La fe en todo aquello que nos rodea, es lo que hace que levantarse todos los días tenga sentido, y sea provechoso y benéfico.

Elementos No tiene variaciones importantes según los elementos, salvo con los hijos de Agua porque difícilmente creen en ellos mismos.

Libertad

La libertad es una fuerza porque es la posibilidad de ser quien realmente somos. Es una fuerza porque ser libres es una característica del ser humano.

Elementos No hay variación según los elementos.

Nacimiento

Es una fuerza porque siempre se tendrá la opción de nacer y de renacer en esta vida. Es una fuerza humana, es decir, es una manifestación de la fuerza con la que contamos para cambiar nuestra vida.

Aire Es muy sencillo para los hijos de Aire.

Tierra Varía, sobre todo porque para Tierra es muy difícil rehacer una vida por completo, prefiere hacerlo por ciclos que con grandes cambios.

Fuego y Agua Esta virtud muy difícil para estos elementos.

Responsabilidad

Casi siempre se percibe como algo que abruma; sin embargo, la responsabilidad libera porque no es lo mismo sentirse culpable que sentirse responsable. Si alguien se siente culpable, no actúa; si se siente responsable, tiene cosas que hacer, tiene cómo actuar. Si uno se siente culpable, se siente cómodo porque sólo hay que esperar a recibir el castigo, no hay que moverse. En cambio, si uno se siente responsable sabe que puede hacer algo, y eso lo libera del dolor que genera la culpa. Entonces, la responsabilidad es una forma de ser libre, una manera de tomar la vida entre las manos, hacer lo que uno quiere y enfrentar las consecuencias de los actos realizados.

Aire Es difícil encontrar seres de Aire responsables, porque no les gusta, se sienten atados; sin embargo, cuando los hay, son profundamente responsables, pero son muy pocos.

Tierra Es una de las características principales de este elemento. Le gusta ser responsable, incluso a veces de lo que le es ajeno. Una de las grandes cualidades de la responsabilidad es que se puede saber cuándo un problema le corresponde a uno o no. Tierra está en el polo opuesto a Aire, se hace responsable de más.

Fuego Siempre está buscando cómo delegar las responsabilidades a otros.

Agua El problema es que sabe dilucidar muy bien la responsabilidad de otros, pero no la suya y lo que tiene que aprender por principio es a esclarecer la suya, es decir, ver la verdad dentro de sí mismo.

Equilibrio

Equilibrio es una virtud que se puede tener a través de claridad, porque las dimensiones de las cosas en los asuntos de la vida entran en equilibrio sólo cuando se tiene la claridad para verlo. El equilibrio es una virtud muy poco usual en todos los elementos. Normalmente significa que se puede ser equilibrado siempre y cuando se tenga la claridad para poner en la balanza cosas que pesen lo mismo.

Elementos No hay variación según los elementos.

CAPÍTULO 6

Virtudes complementarias y sus funciones en relación con los elementos

Virtudes complementarias de amor

Diplomacia

También se le conoce como buena disposición, buena voluntad o disponibilidad. Es una virtud dedicada a la apertura de los sentidos y del corazón. Estar dispuesto significa tener la confianza de que nada me dañará. Es difícil que se exprese en casi todos los elementos porque es muy confusa y lo que aparentemente es buena voluntad en realidad puede ser exactamente lo contrario.

Elementos En todos los signos se manifiesta más o menos de igual forma, aunque menos en Fuego y con más frecuencia en Tierra, pero es igual de compleja en todos los elementos.

Juego

El juego es una virtud de la inteligencia; es la que recuerda que el amor es una manifestación inteligente, al contrario de lo que se piensa.

Aire Es donde más se manifiesta, sobre todo en el sentido del humor y en la capacidad de relacionarse con otros.

Tierra Normalmente el hijo de tierra es menos alegre y juguetón y más cercano a la reflexión.

Fuego Se manifiesta también en el sentido del humor, pero sobre todo en jugar con sus relaciones.

Agua Igual que en Tierra es menos interesante; se trata de un juego mental.

Buen humor

El sentido del humor también es una manifestación inteligente. Lo tienen los gatos. Lo tienen los perros, los delfines, lo tienen los seres humanos y los gorilas. Son algunos de los seres vivos que poseen esta virtud y que manifiestan alegría en su existencia.

Aire Es una virtud fuerte.

Tierra En Tierra es muy fuerte, pero es un humor particular. La gente de Tierra se ríe de cosas de las que la mayor parte de la gente no se ríe.

Fuego Aquí tiene límites sobre todo con los hijos de Leo, porque ellos pueden reírse de todo menos de sí mismos. Por lo general en Fuego el humor puede manifestarse siempre y cuando sea en nombre de otros y no de sí mismos.

Agua Es una virtud muy fuerte pero con frecuencia cercana a la ironía y al humor negro.

Flexibilidad

Es la capacidad de tolerancia hacia el otro, pero también la capacidad de saber quién soy y qué limitaciones existen para poder abrirme a nuevas opciones. No es la rama más fuerte la que sobrevive a una tormenta de nieve, sino la más flexible, la que permite que el peso de la nieve la doble y caiga sin que la rama sufra daño.

Aire La flexibilidad en Aire se manifiesta como la capacidad de entrar en contacto con hombres, mujeres y seres inertes. Es más fácil para Aire que para todos los otros elementos.

Tierra En Tierra es una virtud muy poco común, a estos seres les cuesta mucho trabajo ser flexibles.

Fuego Puede ser más flexible que Tierra, pero lo es menos que Aire y su manifestación principal de flexibilidad es cuando es capaz de ceder frente a otros lo que no es con él.

Agua Es difícil que se manifieste, pero es donde es más necesaria porque a la sabiduría o al conocimiento no se llega más que por medio de la flexibilidad.

Compasión

Compasión viene de "compartir una pasión", ser capaz de tener un punto de encuentro con la pasión del otro y su visión del mundo.

Aire En Aire es común, pero no de manera profunda porque la compasión lleva tiempo y los seres de Aire normalmente tienen prisa.

Tierra En Tierra la compasión se manifiesta como solidaridad. Es una virtud que se manifiesta como ayuda o soporte.

Fuego Es muy común sobre todo porque los hijos de Fuego son muy pasionales, aunque para ellos puede llegar a ser más cercano el concepto de lástima que el de solidaridad.

Agua Existe, pero el problema es que por lo general les gusta compadecerse de ellos mismos.

Deleite o placer

Deleite o placer es una virtud a la que el ser humano le tiene mucho miedo porque siempre ha pensado que si las personas se dedican al placer no harán nada más; pero no es así, sobre todo si se piensa que el placer es una virtud del amor, significa ser capaz de amarse, consentirse y darse placer a sí mismo, que es el inicio de amar, consentir y dar placer a otros.

El placer está relacionado con el desarrollo de los cinco sentidos. Entre más placer soy capaz de generar a mi alrededor, mejor estaré y más sanos llegarán a ser mis cinco sentidos.

Aire El placer en Aire se manifiesta sobre todo en la capacidad de entregar y entregarse a muchas personas y también de ser capaz de disfrutar (y disfrutarse) con otros. Es el placer de la convivencia.

Tierra El placer está en la vida cotidiana, los que importan son los pequeños placeres que se construyen todos los días, sean compartidos o individuales; los placeres prácticos, cotidianos y pequeños, pero constantes.

Fuego El placer está en lo extraordinario e inaudito, único e irrepetible, en el ser capaz de alcanzar lo que otros no pueden o ser capaz de demostrar poder y superioridad. Los grandes dictadores del mundo han sido, sobre todo, hijos de Tierra y de Fuego.

Agua En Agua el placer está en el conocimiento, en el saber más de algo, de alguien o de sí mismos.

Esperanza

Es una virtud dedicada a la sorpresa, a la capacidad de realizar lo que la vida tiene que entregar. Es una virtud complementaria de Amor porque se necesita amar profundamente el deseo que se busca cumplir, con la mayor paciencia posible.

Aire Para los hijos de Aire es una de las virtudes más difíciles de soportar, ya que no les gusta esperar nada.

Tierra A los seres de Tierra no les gusta esperar y tener esperanza, particularmente los de Capricornio; sin embargo, muchas veces no tiene la esperanza de que vaya a llegar a algo. Duda de que algo termine por realizarse; los de Tauro aprenden a vivir en plenitud su esperanza.

Fuego Es una de las virtudes que provoca más placer a quienes pertenecen a Fuego, porque les encanta la sorpresa y la idea de obtener algo.

Agua Aquí se transforma en angustia muy fácilmente.

Desapego

Desapego o soltar significa dejar ser a los demás como son, dejar que una situación fluya, transcurra o se vaya. El desapego significa tener la capacidad y la voluntad de centrarse en sí mismo y dejar que el mundo siga su curso sin imponer ninguna idea, por más buena que parezca.

Aire Es una virtud muy común y los hijos de este elemento suelen usarla sin problema; sin embargo, cuando un ser de Aire no sabe soltar, el asunto puede volverse muy grave.

Tierra Aquí soltar es difícil. Los lazos que son capaces de establecer son muy profundos, así que soltar requiere de una enorme voluntad, de procesos que pueden durar años; y esta virtud sólo se cumple si hay una voluntad real.

Fuego En Fuego es casi imposible que exista, ellos no sueltan casi nada.

Agua Como en el caso de Tierra, es difícil soltar por la profundidad de los lazos que establecen.

Comunicación

La comunicación es una característica de los seres humanos. A través de la palabra nos damos a entender y logramos comunicar nuestras experiencias.

Aire Les es vital comunicarse.

Tierra Es ponerse de acuerdo generalmente con los demás.

Fuego Es muy importante, pero a veces puede transformarse en chismes.

Agua Forma muy dulce de entregar el conocimiento.

Obediencia

Obedecer significa hacerle caso a la mejor parte de cada ser, la que sabe más, la que no duda, la que ha sobrevivido a muchas vidas y por tanto tiene más conciencia y sabe a dónde va, la que sobrevive cada vez que reencarnamos y que morimos. Esa parte sabe lo que le conviene a cada quien y lo que debe hacer. Obediencia es la virtud que permite dar la atención a esa parte, que tiene la mejor visión.

Aire Por la necesidad de rapidez que tienen los seres de este elemento es difícil que se manifieste; actúan demasiado rápido como para aceptar esta virtud en su interior.

Tierra Les es muy común y constante, poderosa en las normas, en las reglas y en los acuerdos, y sobre todo la valoran por su aspecto práctico. Es más inteligente obedecer que no hacerlo.

Fuego Es casi imposible que aparezca. La obediencia no es lo común en los hijos de este elemento, porque implica ceder o detener pasiones y eso es casi imposible para ellos.

Agua Le resulta relativamente fácil obedecer, porque la naturaleza del Agua es cambiante y por tanto puede adaptarse fácilmente a otras leyes.

Espontaneidad

Ser espontáneo es aprender a observar la vida desde varios puntos de vista sin cuestionárselos de ninguna manera, sólo tratando de vivir el momento, la situación. A veces esa espontaneidad puede molestar a quienes observan esta virtud, pero finalmente es demostrar que no se está escondiendo nada.

Aire Ser espontáneo es una cualidad de los seres de Aire.

Tierra Es una cualidad muy serena, da a entender lo que cada una de sus emociones y pensamientos les están indicando.

Fuego Es vivaz, hacia a la alegría, pero también puede haber hacia el enojo.

Agua Casi no conocen esta virtud, a menos de que lleguen a tener un alto nivel de conciencia porque siempre tratan de ocultar y no ver la verdad.

VIRTUDES COMPLEMENTARIAS DE PODER

Eficiencia

La eficiencia es la capacidad de poner las cosas en el lugar que les corresponde, es decir, de hacer buen uso de la energía. Ser eficiente significa hacer las cosas de la manera en que mejor se adecuen a nuestras necesidades. Eficiencia significa manejar la energía de tal forma que no se desperdicie e incluso de que no haya necesidad de usarla.

Aire Se manifiesta normalmente en la rapidez, aunque así se cometan errores.

Tierra Por lo general se manifiesta en el cuidado con el que se hacen las cosas, un cuidado meticuloso que vuelve a la eficiencia lenta pero segura.

Fuego No es un valor muy común, pero los hijos de Fuego la aprecian mucho.

Agua Se manifiesta en la capacidad de reflexión, en la capacidad de pensar en orden y de entender.

Apertura

La apertura es un acto de amor porque es estar lo suficientemente seguro de uno mismo para abrirse al Universo. Implica que soy capaz de recibir porque soy capaz de dar, que soy capaz de aceptar al que es distinto a mí; que puedo abrir mis sentidos, mi cuerpo, mi ser y mi espíritu para aprender. Sin apertura no hay posibilidad de cambio.

Aire Es enorme y es una de las características básicas de Aire. Si alguien que pertenece a este elemento no es abierto, es que va en contra de su propia naturaleza.

Tierra La obstinación impide muchas veces la apertura al ser de Tierra y se le da muy lentamente, pero es importante que la obtenga.

Fuego Es bastante común, aunque algunas personas de Fuego no son capaces de abrirse.

Agua Es mínima, muy difícil y se da sólo en casos de enorme confianza; hay un gran temor de los hijos de Agua por ser heridos, por tanto, generalmente la apertura es nula. Lo que no saben es que entre más se cierran, más vulnerables estarán.

Educación

La educación es una virtud que debe trabajarse y no puede faltar en ninguna vida. Es una manera de relacionarse con el mundo y consigo mismo. La educación implica la capacidad de entenderse y de entender al otro, de estudiarse y estudiar al otro. Se entiende por "educado" aquel que es capaz de convivir armónicamente y que puede tomar del exterior lo necesario para su desarrollo interior.

Aire, Tierra y Fuego En estos elementos, la educación se manifiesta de igual manera y depende no tanto del signo sino de la determinación de llegar a ella.

Agua Por el simple hecho de que Agua es el elemento de la sabiduría, la educación le es fundamental. Los seres de Agua que no son educados están yendo en contra de su naturaleza.

Una escuela debe ser un lugar para aprender a vivir con el exterior y para aprender a moverse en el mundo. Aprender las materias es útil, pero sólo en la medida en que ese conocimiento puede llevarse a la práctica o puede ofrecer herramientas de sapiencia que ayuden a nuestra evolución en la vida. Las escuelas activas (Montessori, Piaget, Waldorff y demás) son buenas áreas de desarrollo. Para un niño índigo la mejor opción es un sistema activo.

Habrá un cambio en la educación en la medida en que la energía manifieste la necesidad de una nueva metodología. Tal vez los propios niños índigo serán maestros de otros niños índigo y de niños cristal.

Buen humor

El sentido del humor es manifestación de inteligencia y de poder, pero también es expresión liberadora y por tanto manifestación de Aire. Es la posibilidad de entender al mundo y de ponerse al día de una manera lúdica. El primer síntoma de inteligencia de un ser humano es el sentido del humor.

Aire Es muy normal y común y, aunque puede llegar a ser ácido, es un humor contagioso.

Tierra Es al igual que en Aire, contagioso, y puede ser muy común, pero el ser de Tierra ríe de las cosas más extrañas, cosas que pueden desconcertar a otros signos.

Fuego y Agua Puede estar más cercano al humor negro, al humor irónico, sobre todo en Agua. La gente de Agua ríe del pesar de otros.

Flexibilidad

La flexibilidad se manifiesta particularmente en las coyunturas del cuerpo, rodillas, falanges y demás articulaciones. La flexibilidad significa ser humilde y tener la capacidad de entender que el mundo es lo que podemos percibir de él y no lo que se nos ocurre que debe ser.

Aire No la tiene.

Tierra Es paulatina, muy suave y más profunda porque puede lograr transformaciones más completas y contundentes que los otros elementos.

Fuego Antes de volverse flexible quema, abrasa, transforma, reduce a cenizas; Fuego no es flexible y no trata de serlo, no se lo permite.

Agua Le es muy fácil contactarla aunque puede transformarla en evasión.

Síntesis

Lograr una síntesis significa ser capaz de tomar sólo lo que importa. Síntesis es un poder, una manera de obtener lo esencial, por tanto es una herramienta humana fundamental.

Aire Los seres de Aire quieren ver todo, saberlo todo, por eso les es muy difícil sintetizar.

Tierra Le es difícil sintetizar, pero no porque quiera abarcarlo todo, sino porque elige con cuidado y en esa elección no se permite equivocaciones.

Fuego Sintetiza sólo lo que le conviene y le interesa, no lo que más importa.

Agua Sintetiza muy rápido y en general muy bien, pero su acción puede ser tan escueta que deje las cosas inacabadas y no alcance la síntesis.

Compasión

La compasión es una virtud de amor y como también es un poder pertenece al Fuego. Compasión significa compartir una pasión, es decir, ser capaz de entrar en sintonía con otro ser para que una emoción específica pueda compartirse. Es muy diferente compartir una emoción con alguien que sufre a tenerle lástima. Compartir una pasión significa compartir un momento de dolor, pero también un momento de alegría, es una cuestión de simpatía, de emoción.

Aire Es muy común, pero también puede ser superficial y momentánea.

Tierra Puede ser más lenta que en Fuego, pero constante en su movimiento.

Fuego Puede ser inmediata, pero debe implicar un gran estallido y ser muy intensa.

Agua Puede ser muy profunda y se necesita mucho para que suceda, porque Agua se defiende de sus emociones.

Aventura

Sólo se aventura quien no tiene miedo, quien está seguro de sí mismo, sólo se aventura quien sabe que nada puede dañarlo y que no necesita cuidados de nadie.

Aire Es un acto de independencia y por tanto de libertad.

Tierra y Agua Se realiza en ambos elementos ya que actúan con inteligencia y precaución.

Fuego En estos seres la aventura implica un impulso.

Desapego

Ésta es una virtud de poder porque sólo aquel que sabe lo que tiene es capaz de dejar ir lo que no es suyo. Soltar significar no influir en la vida de otros ni permitir que otros influyan en la vida de uno. Permitir que todos los seres vivan como quieren, como deben hacerlo con su entorno y con ellos mismos.

Tiene que ver también con el control. Cuando se niega el control de otros sobre uno, también se niega el control de uno sobre los demás.

Aire Es una cualidad común, que se expresa con sencillez.

Tierra Es lo más difícil: Tierra se niega a soltar, ya que significaría dejar que el mundo gire sin intervenir y eso le causa confusión, aunque no tomaría parte de los cambios. Sin embargo, Tierra tiene muy buenos principios y uno de ellos es esperar, lo cual es finalmente una forma de desapegarse.

Fuego y Agua Es una virtud muy difícil de encontrar en ambos elementos; para lograrla necesitan hacer un esfuerzo muy grande porque ambos son maestros del control.

Espontaneidad

Ser espontáneo es aprender a observar la vida desde varios puntos de vista sin cuestionárselos de ninguna manera, sólo tratando de vivir el momento, la situación. A veces esa espontaneidad puede molestar a quienes observan esta virtud, pero finalmente es demostrar que no se está escondiendo nada.

Aire La espontaneidad en los seres de Aire es no dudar de sus capacidades.
Tierra Posibilidad y capacidad de lograr lo que quieren hacer.
Fuego Los lleva directamente a lo que necesitan hacer.
Agua Es muy difícil encontrarla.

VIRTUDES COMPLEMENTARIAS DE CLARIDAD

Educación

La educación se liga naturalmente con claridad. La educación es para clarificar a los individuos, es para hacer que tengan una visión más amplia para poder tomar decisiones.

La intelectualidad es el ejercicio del intelecto solamente; la educación es poner conocimientos al servicio del vivir cotidiano.

Aire Se manifiesta normalmente con la sabiduría enciclopédica de muchos temas, es decir, hay una enorme variedad de conocimientos.
Tierra Se expresa en todo conocimiento sobre nuestro planeta, como la agricultura, la etnología, la antropología, la arqueología.
Fuego Está más bien relacionada con las pasiones humanas.
Agua Se refiere a la erudición en lo relativo al conocimiento.

Flexibilidad

Tiene que ver con la claridad: sólo quien entiende lo que observa es capaz de ser tolerante y flexible con las ideas de los demás. Asumir posiciones de terquedad, de necedad, o aferrarse a una sola idea es falta de claridad; la flexibilidad requiere de ideas claras.

Cuando crece nuestro nivel de conciencia nos volvemos más tolerantes y las cosas adquieren otra importancia porque las asumimos de forma distinta.

Elementos La claridad no es fácil para ninguno de los elementos, pero la flexibilidad tiene algunas variantes importantes para Agua y Tierra.
Tierra Este elemento es el más inflexible de todos.
Agua Por más que su flexibilidad sea infinita, sus hijos no son especialmente flexibles.

Sencillez

La claridad permite hacer las cosas de la manera más sencilla, es decir, sin que implique un esfuerzo y costo extra ni trabajo de más.

Aire Es algo que a los hijos de Aire no les gusta mucho.
Fuego En los seres de Fuego esta virtud se toca con dificultad.
Agua y Tierra Es más cercana a su naturaleza.

Síntesis

Al igual que con la sencillez, sólo si tengo claridad acerca de un asunto soy capaz de sintetizarlo; sintetizarlo significa hacerlo mío, modificarlo, llevarlo a su mínima expresión, a su esencia. El ser humano es síntesis de lo que está en el mundo. La síntesis es llevar algo a la mínima expresión, dibujarlo con el mínimo posible de elementos. Es una virtud difícil de adquirir; se puede llegar a ella con la meditación o en el momento antes de morir.

Elementos No hay variación según los elementos.

Compasión

Saber quién soy, qué siento y qué he sentido es lo que me permite entender lo que sienten los demás, por eso compasión es una virtud complementaria de claridad.

Elementos No hay variación según los elementos.

Deleite o placer

Hay una relación muy estrecha entre claridad y placer porque sólo cuando estoy claramente consciente de quién soy y dónde me ubico, soy capaz de tener placer.

Aire y Tierra En estos seres se da naturalmente.
Fuego y Agua Se les dificulta tenerlo.

Aventura

Cuando el ser humano deja de ser dominado por el miedo y tiene la claridad suficiente para seguir sus impulsos, la vida se transforma en una gran aventura de descubrimiento y realización. El hombre finalmente se da cuenta de que nada puede dañarlo, ni tocarlo si él no lo permite.

Elementos No hay variación según los elementos. Si acaso, los más limitados para aventurarse son Agua y Tierra, pero no es una generalidad.

Comunicación

La comunicación es una característica de los seres humanos. A través de la palabra nos damos a entender y logramos comunicar nuestras experiencias.

Aire Les es vital comunicarse.
Tierra Es ponerse de acuerdo generalmente con los demás.
Fuego Es muy importante, pero a veces puede transformarse en chismes.
Agua Forma muy dulce de entregar el conocimiento.

VIRTUDES COMPLEMENTARIAS DE VERDAD

Educación

La verdad es buscar, la verdad siempre proporciona conocimientos y de la verdad se aprende.

Elementos Esto es válido para todos los elementos.

Sencillez

Esta virtud se alía a la verdad cuando procede a eliminar de su entorno las cosas que están de más.

Elementos No hay variación según los elementos.

Síntesis

Una vez que comprendemos una verdad somos potencialmente capaces de llevarla a su mínima expresión, pero para el hombre es una cualidad difícil de adquirir.

Elementos No hay variación según los elementos.

Deleite o placer

Nada que sea mentira le puede causar al ser humano verdadero placer.

Elementos No hay variación según los elementos.

Aventura

Sólo quien conoce de verdad su lugar en el mundo es capaz de arriesgarse a vivir aventuras.

Aire y Fuego Son los más aventureros, se atreven a seguir más aventuras.
Tierra Son los menos aventureros porque son los que más se cuidan.
Agua A una mitad les gusta emprender aventuras y la otra mitad no porque prefieren protegerse.

Desapego

Si las personas no conocen la verdad, difícilmente pueden soltar algo.

Elementos No hay variación según los elementos.

Obediencia

Obedecer es aprender a ver la verdad de uno mismo, es aprender a escuchar lo que nuestro ser nos dice, es entender que uno no puede alejarse de la realidad por mucho tiempo, es ver finalmente la verdad de frente. Obedezco mis instintos, obedezco mis deseos.

Elementos No hay variación según los elementos.

VIRTUDES COMPLEMENTARIAS DE FUERZA

Educación

La educación es una virtud que debe trabajarse y no puede faltar en ninguna vida. Es una manera de relacionarse con el mundo y consigo mismo. La educación implica la capacidad de entenderse y de entender al otro, de estudiarse y estudiar al otro. Se entiende por "educado" aquel que es capaz de convivir armónicamente y que puede tomar del exterior lo necesario para su desarrollo interior.

Aire, Tierra y Fuego En estos elementos, la educación se manifiesta de igual manera y depende no tanto del signo sino de la determinación de llegar a ella.
Agua Por el simple hecho de que Agua es el elemento de la sabiduría, la educación le es fundamental. Los seres de Agua que no son educados están yendo en contra de su naturaleza.

Buen humor

El sentido del humor es manifestación de inteligencia y de poder, pero también es expresión liberadora y por tanto manifestación de Aire. Es la posibilidad de entender al mundo y de ponerse al día de una manera lúdica. El primer síntoma de inteligencia de un ser humano es el sentido del humor.

Aire Es muy normal y común y, aunque puede llegar a ser ácido, es un humor contagioso.

Tierra Es al igual que en Aire, contagioso, y puede ser muy común, pero el ser de Tierra ríc dc las cosas más extrañas, cosas que a otros signos pueden desconcertar.

Fuego y Agua Puede estar más cercano al humor negro, al humor irónico, sobre todo en Agua. La gente de Agua ríe del pesar de otros.

Sencillez

Sencillez es acceder a la esencia de las cosas, haciendo a un lado lo superfluo.

Elementos No hay variación según los elementos.

Síntesis

Al igual que con la sencillez, sólo si tengo claridad acerca de un asunto soy capaz de sintetizarlo; sintetizarlo significa hacerlo mío, modificarlo, llevarlo a su mínima expresión, a su esencia. El ser humano es síntesis de lo que está en el mundo. La síntesis es llevar algo a la mínima expresión, dibujarlo con el mínimo posible de elementos. Es una virtud difícil de adquirir; se puede llegar a ella con la meditación o en el momento antes de morir.

Elementos No hay variación según los elementos.

Esperanza

Es una virtud dedicada a la sorpresa, a la capacidad de realizar lo que la vida tiene que entregar. Es una virtud complementaria de fuerza porque se necesita fortalecer profundamente la voluntad de cumplir con el el deseo que se busca, con la mayor tenacidad posible.

Aire Para los hijos de Aire es una de las virtudes más difíciles de soportar, ya que no les gusta esperar nada.

Tierra A los seres de Tierra no les gusta esperar y tener esperanza, particularmente los de Capricornio; sin embargo, muchas veces no tiene la esperanza de que vaya a llegar a algo. Duda de que algo termine por realizarse; los de Tauro aprenden a vivir en plenitud su esperanza.

Fuego Es una de las virtudes que provoca más placer a quienes pertenecen a Fuego, porque les encanta la sorpresa y la idea de obtener algo.

Agua Aquí se transforma en angustia muy fácilmente.

Obediencia

Obedecer significa hacerle caso a la mejor parte de cada ser, la que sabe más, la que no duda, la que ha sobrevivido a muchas vidas y por tanto tiene más conciencia y sabe a dónde va, la que sobrevive cada vez que reencarnamos y que morimos. Esa parte sabe lo que le conviene a cada quien y lo que debe hacer. Obediencia es la virtud que permite dar la atención a esa parte, que tiene la mejor visión.

Aire Por la necesidad de rapidez que tienen los seres de este elemento es difícil que se manifieste; actúan demasiado rápido como para aceptar esta virtud en su interior.

Tierra Les es muy común y constante, poderosa en las normas, en las reglas y en los acuerdos, y sobre todo la valoran por su aspecto práctico. Es más inteligente obedecer que no hacerlo.

Fuego Es casi imposible que aparezca. La obediencia no es lo común en los hijos de este elemento, porque implica ceder o detener pasiones y eso es casi imposible para ellos.

Agua Le resulta relativamente fácil obedecer, porque la naturaleza del Agua es cambiante y por tanto puede adaptarse fácilmente a otras leyes.

Espontaneidad

Ser espontáneo es aprender a observar la vida desde varios puntos de vista sin cuestionárselos de ninguna manera, sólo tratando de vivir el momento, la situación. A veces esa espontaneidad puede molestar a quienes observan esta virtud, pero finalmente es demostrar que uno no está escondiendo nada.

Aire Se traduce siempre en logros y en la posibilidad de mostrar esa virtud a través del arte.

Tierra Es el sostén para lograr sus objetivos.

Fuego La espontaneidad ayuda a lograr las metas con una energía arrolladora.

Agua Aparece raramente, pero cuando es así se vuelve una enorme capacidad de lograr ver lo que tienen que aprender. Puede llegar a tener logros en su crecimiento espiritual.

APLICACIÓN TERAPÉUTICA DE LAS VIRTUDES

Virtud es ángel, es esencia, es energía, es vibración.

El oráculo de las virtudes

Al hablar de virtudes, no olvidemos que nos estamos refiriendo también a esencias, ángeles, vibraciones y energía.

En este capítulo empezaremos a trabajar la parte terapéutica, curativa, de las virtudes básicas, derivadas y complementarias (cuadro 2 en el Apéndice). Así pues, hemos llegado a la parte práctica.

En esta sección te damos las indicaciones para que apliques los símbolos de las virtudes, los sonidos que las acompañan y las guían, y te introducimos al conocimiento del oráculo.

En cada carta del oráculo de las virtudes puedes observar:

- El nombre de la virtud
- Una foto con un movimiento específico de las manos y que representa el enlace vibracional entre los ángeles y nosotros.
- La(s) zona(s) donde se aplica dicho movimiento de manos sobre la persona que estamos atendiendo.
- El sonido que debe emitir el sanador al realizar el movimiento específico de las manos sobre su paciente. Recordemos que la música es el lenguaje de las emociones y que además nos relaciona con la armonía del Universo.

¿En qué casos se aplican los símbolos?

- Cuando el ser humano ha olvidado que pertenece tanto a la Tierra como al Universo y por lo tanto ha perdido su centro y su paz interior.
- Cuando el ser humano no recuerda que vino a la Tierra con algunas herramientas energéticas (ángeles- virtudes) que le pueden ayudar a resolver su vida cotidiana.
- Cuando necesita ayuda para destrabar algún padecimiento físico, emocional, mental o espiritual.
- Cuando necesita recuperarse después de algún padecimiento.
- Después de una intervención quirúrgica.
- Al padecer alguna pérdida.
- Al vivir un proceso de renacimiento, de interiorización, de reconocimiento profundo del ser.
- En fin, cuando se autoriza a aprender a vivir, a romper con ideas equivocadas que lo han marcado a lo largo de su rueda kármica y que le producen malestares en la vida actual.
- Cuando te das cuenta que tu paciente o amigo está deficiente de alguna de estas virtudes. Para entenderlo necesitas escuchar con mucho cuidado lo que te expresa o te pide. Un indicador muy claro es cuando tu paciente expresa frases como por ejemplo: "me siento débil", en ese caso se aplicaría la contraparte, fuerza; "estoy muy triste", en este caso se aplica su contraparte, alegría; "estoy enojada", "nadie me quiere", "tengo resentimiento", "siento vacío", en todas estas situaciones es muy útil revisar el cuadro de virtudes y contrapartes que se ve a continuación.

Virtudes y sus contrapartes

Virtud	Contraparte
Amor	Odio
Poder	Incapacidad, inutilidad
Claridad	Oscuridad
Verdad	Mentira
Fuerza	Debilidad
Alegría	Tristeza
Hermandad	Desamor
Creatividad	Improductividad
Perdón	Rencor
Ternura	Agresión, Violencia
Belleza	Fealdad
Armonía	Disonancia, discordancia
Transformación	Quietud
Paciencia	Impaciencia
Gracia	Desgracia
Gratitud	Ingratitud
Confianza	Desconfianza
Buena disposición o diplomacia	Egoísmo
Juego	Fastidio
Buen humor	Enojo, Solemnidad
Flexibilidad	Inflexibilidad, Rigidez
Compasión	Vacío
Deleite	Sufrimiento
Esperanza	Renuncia
Desapego	Apego, Control
Obediencia	Rebeldía
Espontaneidad	Fijeza

Virtud	Contraparte
Entusiasmo	Inactividad
Valentía	Cobardía
Fe	Escepticismo
Humildad	Soberbia, Rebeldía
Responsabilidad	Irresponsabilidad
Inspiración	Vanalidad
Abundancia	Miseria
Voluntad	Abulia, Inercia, Pereza
Eficiencia	Ineficiencia
Apertura	Clausura, Cerrazón
Educación	Ignorancia
Síntesis	Desarrollo
Aventura	Miedo
Comunicación	Incomunicación, Aislamiento
Luz	Oscuridad
Salud	Enfermedad
Propósito	Falta de objetivo
Honestidad	Deshonestidad
Libertad	Encarcelamiento
Purificación	Intoxicación
Paz	Guerra
Equilibrio	Desequilibrio
Sencillez	Complejidad
Entendimiento	Irracionalidad
Integridad	Corrupción, Deshonestidad
Nacimiento	Muerte

Trabajar con la vibración de los ángeles o virtudes aporta un sistema de solución efectiva a nuestros innumerables padecimientos que cambia los patrones energéticos del cuerpo físico y que además repercute favorablemente en nuestras emociones y pensamientos. El resultado es una alineación de nuestros cuerpos (físico y sutil) y por lo tanto se traduce en una sensación de equilibrio pleno, bienestar y alegría, y la posibilidad de recuperar la tan anhelada paz.

¿Necesitas algún permiso energético especial para trabajar con las virtudes en un cuerpo físico?

Lo más importante es no sentir ningún temor ante el trabajo que vas a realizar y tener la serenidad y la confianza de que este sistema terapéutico funciona. También es necesario decirte que no esperes resultados inmediatos: se darán a corto, mediano y largo plazo; dependiendo de la energía, la voluntad y la intención de la persona a quien se lo estás aplicando. Para empezar el trabajo pides permiso mentalmente para acercarte a la energía del paciente en cuestión. Al mismo tiempo, te centras y percibirás la autorización de forma intuitiva.

Por favor, no obligues a nadie a recibir una terapia ni te impongas, sólo trabaja centrando tu energía en amor.

¿Cómo aplicas un símbolo y por cuánto tiempo?

Realizas el movimiento energético de tus manos (ve fotos en el texto o en la carta que sacaste), las colocas en la región indicada a unos dos centímetros de distancia del cuerpo del paciente, entendiendo que no es necesario tocar el cuerpo directamente. Al aplicar el símbolo emites también el sonido que corresponde a la virtud que estás trabajando. Es importante que este sonido sea emitido por tu garganta; sin embargo, si no confías en tus clases de solfeo ten cerca de ti un pequeño piano o algún instrumento que te ayude a entonar las notas que necesitas. Recuerda que tu garganta emite sonidos mucho más puros para llegar a contactar la energía del Universo y traerla de regreso a la Tierra. El movimiento de manos y el sonido se pondrán durante diez segundos aproximadamente: generalmente el terapeuta utilizará para aplicar la simbología la mano que sienta más fuerte en ese momento, a menos que se te recomiende emplear ambas manos en la sección de aplicación de los símbolos.

Sugiero emplear la octava central del piano (donde ubicamos el La 440 universal) para las virtudes básicas. Para las virtudes derivadas usamos la octava superior y para las virtudes complementarias usamos la octava inferior. Entre más alto sea el tono de la voz, no la fuerza, será más fácil atraer a las virtudes. Recuerda que lo óptimo es emitirla con tu voz.

Si la virtud o ángel necesita ponerse sobre los órganos o miembros dobles, es decir, ojos, brazos, piernas, rodillas, etc. lo recomendable es aplicarlo en estas dos partes.

Si se saca una carta de virtud derivada o complementaria, sugiero que se aplique dicha virtud acompañada de su virtud básica relacionada. Por ejemplo, si sacaste la carta de alegría la aplicas en el lugar indicado (en este caso diafragma) y también aplicas el movimiento y el sonido de amor en la zona correspondiente.

¿Cuántos símbolos puedes aplicar por sesión?

Lo preferible es que apliques de dos a tres virtudes por sesión para que puedas apreciar más claramente los cambios y le des al paciente la oportunidad de cambiar paulatinamente. Recuerda también que los cambios se dan por sí solos si el paciente está decidido a cambiar sus patrones de vida.

¿Cuántas veces por semana puedes aplicar la simbología?

Podrás ver cambios aplicándolas una o dos veces por semana.

¿Se pueden aplicar sobre uno mismo?

Aunque este sistema me fue entregado para ser trabajado sobre los pacientes, en los años de trabajo terapéutico he observado que cuando una persona tiene la intención de modificar su existencia la aplicación sobre uno mismo sí llega a tener resultados. Para ello, es necesario que aprendas a centrar tu cuerpo físico y tus cuerpos sutiles (con meditación, tai chi, yoga, baile) y después apliques el sistema curativo.

¿Qué formación necesitas tener para usar este sistema?

No necesitas ninguna preparación anterior, sólo es importante que sepas que es un sistema de curación energética y que aprendas a manejar tu energía en forma purificada (para eso está toda la primera parte de este libro).

¿Cómo aprender a usar el oráculo en forma terapéutica?

Se revuelven las cartas y se tienden y el terapeuta sacará una, dos o tres cartas intuitivamente conectándose con las emociones de su paciente. No lo dudes, poco a poco tu percepción se profundizará y podrás escuchar tu voz interior, como la de tu paciente, y tus manos te dirán qué cartas necesitas sacar.

Si observas que tu paciente tiene durante su vida un trabajo energético importante puedes pedirle que saque la carta que él necesita en ese momento.

Otra forma de trabajarlas es que tu paciente exprese una a una sus necesidades y para cada una de ellas sacarás una carta que será la solución y la explicación a sus problemas. Si es una persona que esté muy abierta al trabajo energético, podrás aplicar tantas cartas como necesidades tenga tu paciente.

Algunos consejos

Cuando estás trabajando con el apoyo del oráculo y sale una carta derivada, por ejemplo, confianza, y ves que corresponde tanto a amor como a poder, si quieres entender mejor las emociones de tu paciente, puedes sacar del mazo de cartas estas dos virtudes, voltearlas hacia abajo y pedirle al paciente, sólo por esta vez, que escoja una de ellas.

Lo mismo puedes hacer con una virtud complementaria, por ejemplo, espontaneidad, que se deriva tanto de amor como de poder y de fuerza. Saca estas tres cartas y deja que el paciente elija una.

Tal vez te encuentres en el caso de que tu intuición de diga que necesitas sacar más de cinco cartas. Te sugiero que no apliques todos los símbolos en una sola sesión. Aplica cuatro o cinco virtudes y pídele al paciente que trabaje en su interior lo que aplicaste. Por ejemplo, si aplicaste entre otras verdad, déjalo que interiorice lo que siente, piensa y cree acerca de la verdad con respecto a sí mismo y a los demás. Deja la aplicación de las virtudes faltantes para la siguiente sesión. Así, el paciente estará más enlazado con su proceso curativo.

Es muy importante recalcar que sanar puede llevar algunas veces unos segundos, pero otras, puede ser un trabajo que tome muchas vidas. Tu función terapéutica es de apoyo, pero no puedes determinar el tiempo que toma el proceso de curación. Simplemente trabaja con gusto y observa los cambios positivos de cada persona.

Antes de que empecemos a trabajar con el sistema curativo de las virtudes es muy importante explicar que existen varios elementos del Universo que repercuten en la naturaleza y, a su vez, vibran en partes específicas del cuerpo humano. Una de las partes más claras que representan a dichos elementos son las manos. Por eso toda la simbología de este sistema curativo está basada en movimientos específicos de las manos que acercarán la vibración del Universo a las emociones del paciente y les harán recordar que forman parte tanto de la Tierra como del Cosmos.

La forma como se manifiestan los elementos de la naturaleza en la mano corresponden a cada uno de los dedos, como se ve en el cuadro siguiente:

Elemento	Dedo
Éter	Pulgar
Aire	Índice
Fuego	Cordial
Agua	Anular
Tierra	Meñique

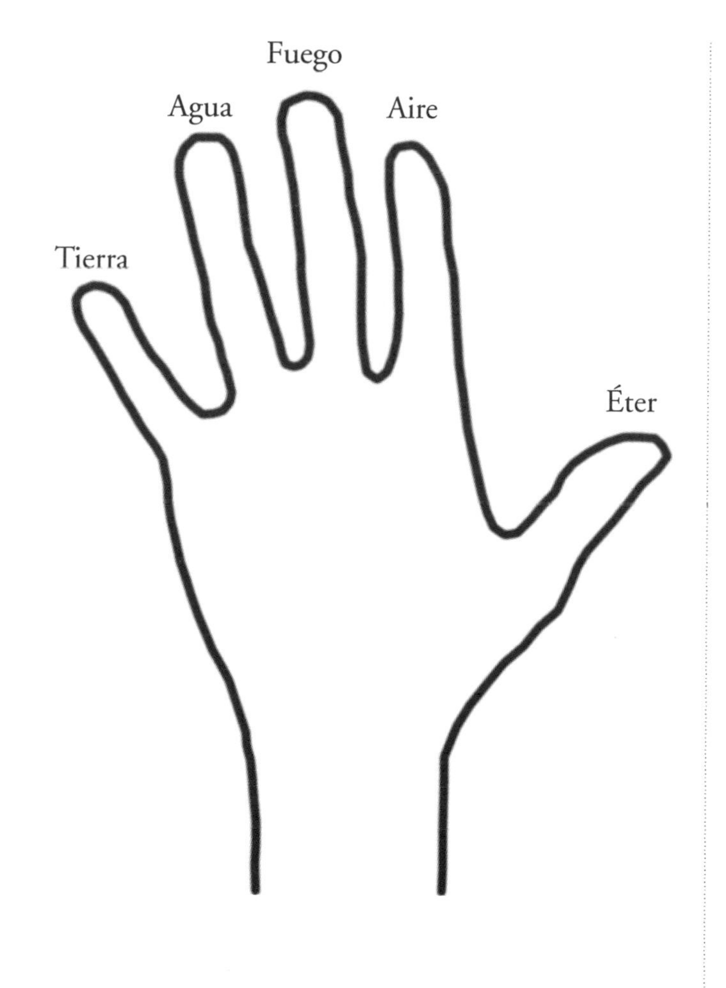

Sacralización del oráculo de las virtudes

Antes de empezar a trabajar con el oráculo de las virtudes te recomiendo realizar una pequeña ceremonia para que las cartas tengan tu vibración y te sea más fácil contactar con la energía del Universo:

1. Si lo deceas recubre la parte posterior de cada una de las cartas con papel dorado.
2. Prepara el espacio sagrado: sobre una carpeta o un pequeño mantel de algodón o seda prepara:
   - una veladora encendida, (elemento fuego);
   - un vaso con agua, (elemento agua);
   - incienso (elemento tierra);
   - una campana (elemento aire);
   - un pequeño ramo de flores (por su sutileza son la representación más veraz de los ángeles o virtudes en la Tierra);
   - las cartas al centro de los elementos.
3. Toca tres veces la campana.
4. Observa con detenimiento la llama hasta que deje de parpadear; en ese momento habrás entrado en armonía y paz para que puedas darle el mejor uso a tu oráculo y además desarrollar a través de él tus capacidades de intuición, percepción y videncia.

5. Permanece un momento en silencio.

6. Recorre y siente las cartas con tus dos manos.

7. Decide entregar tu trabajo para el bien de la Tierra y del Universo.

8. Vuelve a tocar tres veces la campana y… listo. ¡Empieza a descubrir los alcances de este Oráculo de las virtudes!

SÍMBOLOS CURATIVOS DE LAS VIRTUDES BÁSICAS

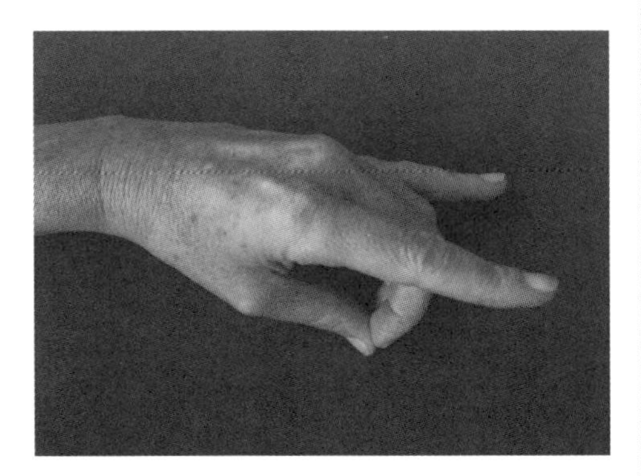

Amor

Esencia básica

Para conectar con el amor propio.
Símbolo 1: Las primeras falanges de los cuatro dedos se unen y los dedos pulgares se tocan, formando un corazón.

Zona: Se aplica en todos los chakras o centros energéticos. De abajo hacia arriba, uno por uno.

Aplicación: Este es el símbolo que más debe utilizarse. La falta de amor por uno mismo, por los demás o por la vida misma es una de las carencias más comunes. Por ello, debe emplearse cuando la tristeza se instala, no se confíe en uno mismo o se esté defendiendo del amor; asimismo, contra el miedo, la enfermedad nerviosa y la conducta adictiva, o cuando haya cáncer, enfermedades del hígado o de los riñones, o exista una confusión en la concepción del amor. Debe usarse cuando el paciente se abandona a sí mismo, se compadece o trata a los demás como seres inferiores al sobreprotegerlos.

Elementos: Todos.

Sonidos: Todas las notas de la escala.

Para conectar con el amor en pareja.
Símbolo 2: Fuego y Agua unidos a Éter, Tierra y Aire estirados. Se emplea para el amor de pareja.
Zona: Corazón.

Poder

Esencia básica

Símbolo: El puño cerrado levantado apoyando el codo sobre el paciente.

Zona: Ombligo.

Aplicación: Cuando hay debilidad enorme, inseguridad, falta de autoestima. Es un símbolo para tonificar el fuego.

Elemento: Fuego.

Sonido: Sol.

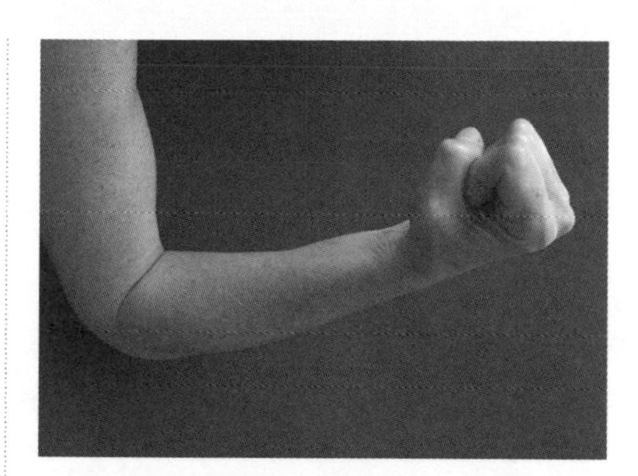

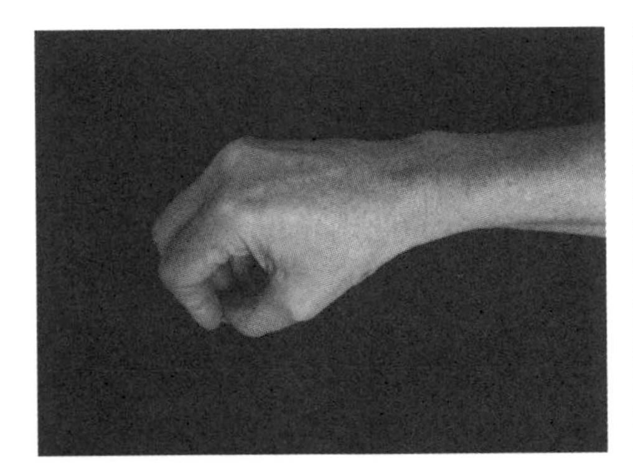

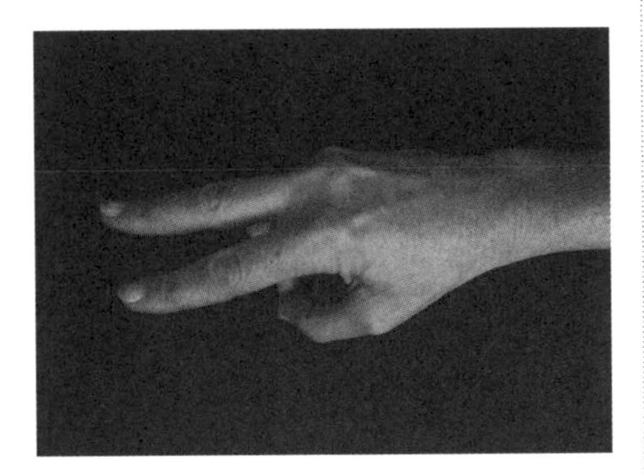

Claridad

Esencia básica

Símbolo: Se realiza en dos movimientos:

1. Aire y Fuego tocan Éter, Agua y Tierra se mantienen doblados.
2. Se estiran Aire y Fuego, Agua y Tierra se unen a Éter.

Zona: Todo el cuerpo o el tercer ojo.

Aplicación: Con la palma hacia abajo. Se utiliza siempre al final de las sesiones para que al paciente se le aclaren sus deseos. Hay que recordar que uno de los problemas más grandes del ser humano es que no sabe diferenciar entre sus propios deseos y los deseos que ha aprendido. Las fotos 3 y 4 son para conocer la posición exacta de los dedos.

Elemento: Aire.

Sonido: Sol.

VERDAD

Esencia básica

Símbolo: Aire, Fuego y Éter extendidos. Agua y Tierra doblados.

Zona: Sobre varios centros. El principal es el corazón, pero puede colocarse también sobre la boca o sobre los ojos. Si el problema es que el paciente no quiere aceptar que está enojado y tiene ira contenida, se aplica sobre la boca. Si no quiere aceptar lo que ve a su alrededor, se trabaja sobre los ojos. Si lo que no quiere aceptar es acerca de él mismo, se aplica sobre el corazón.

Aplicación: Cuando el paciente no quiere enfrentar algún aspecto de su vida o de lo que pasa alrededor.

Elemento: Agua.

Sonido: La.

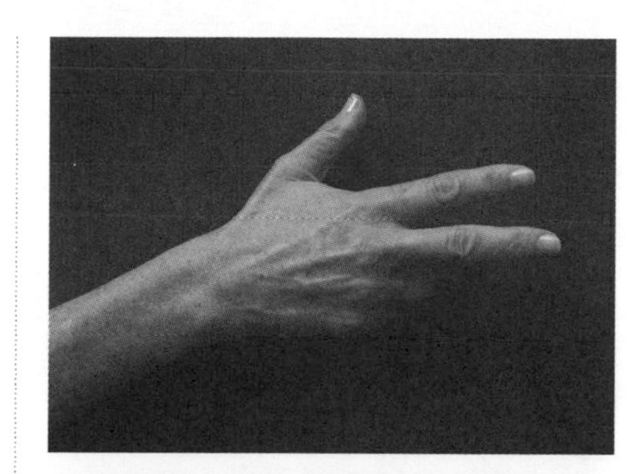

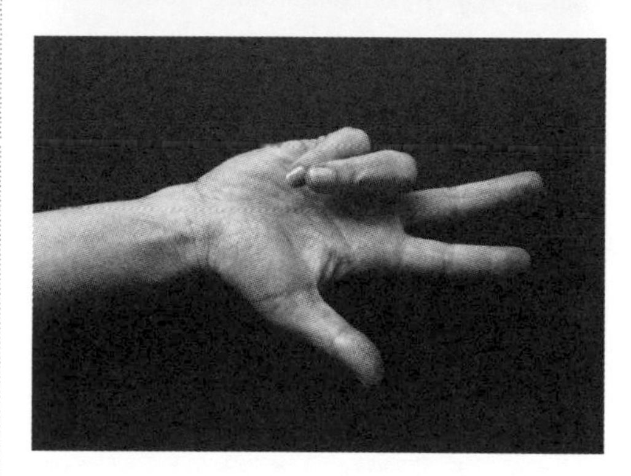

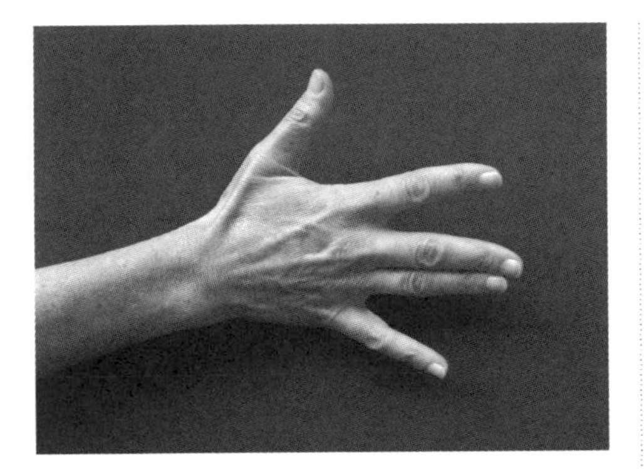

Fuerza

Esencia básica

Símbolo: Fuego y Agua unidos, los cinco dedos estirados.

Zona: Por todo el cuerpo. Se aplica en zonas específicas según lo que se necesite:

- Fuerza física, en los pies.
- Fuerza espiritual, en la coronilla (en este caso se levanta el dedo fuego).
- Fuerza emocional, en el estómago (se levanta el dedo Éter).

Aplicación: Cuando exista agotamiento. Cuando el cuerpo, la mente o el espíritu están débiles, lo que significa que los siete cuerpos no están juntos, o están muy dispersos o muy debilitados.

Elemento:

- Tierra, en caso de fuerza física.
- Fuego, si se trata de fuerza emocional.
- Aire, si es fuerza mental.

Sonidos: Acorde formado por Re, Fa, La.

SÍMBOLOS CURATIVOS DE LAS VIRTUDES DERIVADAS

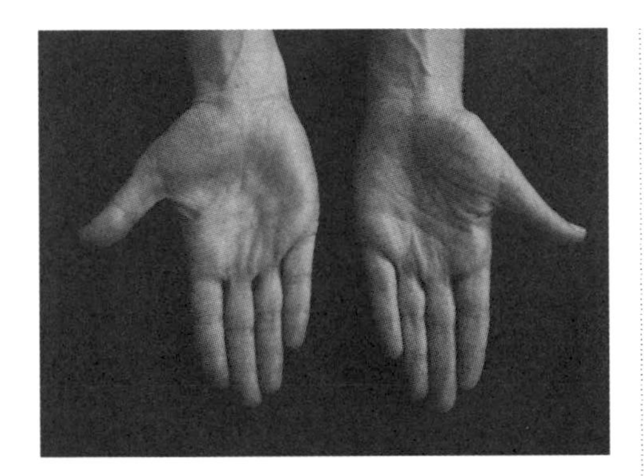

ABUNDANCIA

Derivada de poder

Símbolo: Se abren las manos como ofreciendo.

Zona: Diafragma.

Aplicación: Cuando el paciente se niega a pedir o a aspirar a lo que realmente necesita para vivir.

Elemento: Tierra.

Sonido: Re.

Alegría

Derivada de amor

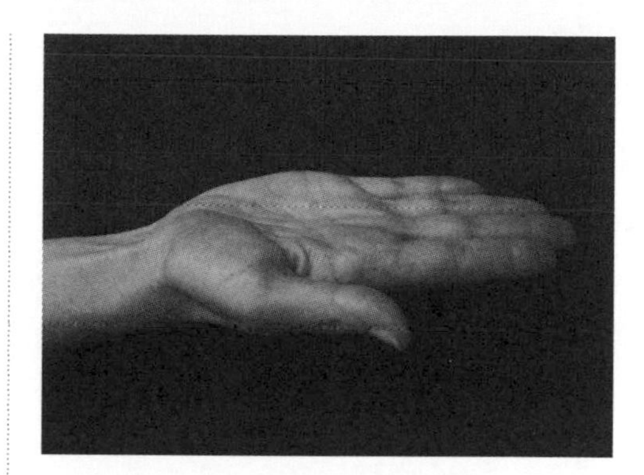

Símbolo: Los dedos estirados y juntos, se coloca el canto de la mano sobre la zona de aplicación.

Zona: Diafragma.

Aplicación: Para liberar emociones.

Elemento: Fuego.

Sonido: Mi.

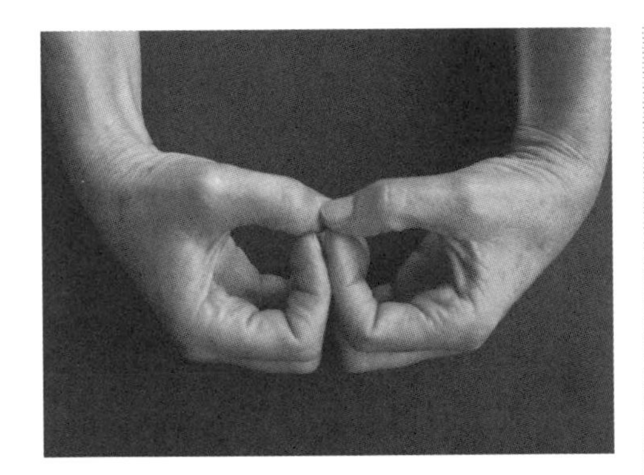

ARMONÍA

Derivada de amor y de claridad

Símbolo: Se une Éter a los demás elementos en cada mano. Se juntan las manos por las falanges.

Zona:

- Corazón.
- Mente.
- A nivel del sexo.

Aplicación: Cuando el paciente no está satisfecho con su entorno o con su voluntad.

- En el sexo, cuando no está contento consigo mismo.
- En el corazón, si no le complace su misión en la Tierra.
- En la mente, en caso de insatisfacción con el mundo que le rodea.

Elemento: Aire.

Sonido: Mi.

Belleza

Derivada de amor y de verdad

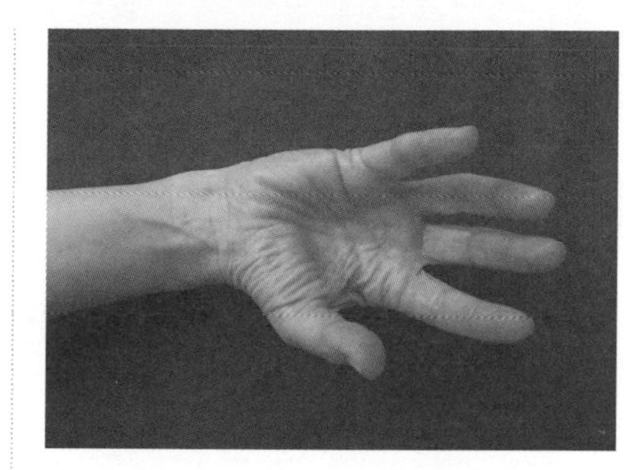

Símbolo: La mano volteada hacia arriba, con los dedos ligeramente abiertos en forma de flor a punto de abrirse.

Zona: Pulmones.

Aplicación: Cuando el paciente no ha sido capaz de ver su propia belleza o la belleza de la vida que lo rodea. Ayuda a resolver intentos de suicidio.

Elemento: Aire.

Sonido: Acorde Si, La, Sol.

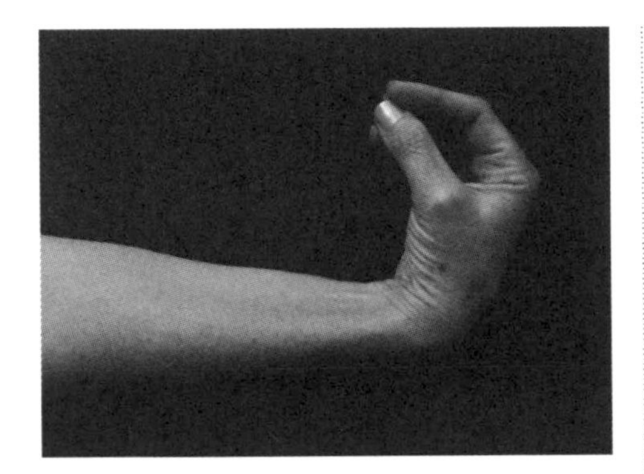

Confianza

Derivada de amor y de poder

Símbolo: Los dedos unidos doblando la muñeca y viendo hacia uno mismo. Es un símbolo parecido al de la luz.

Zona: Corazón.

Aplicación: Cuando hay inseguridad.

Elemento: Fuego.

Sonido: Mi.

Creatividad

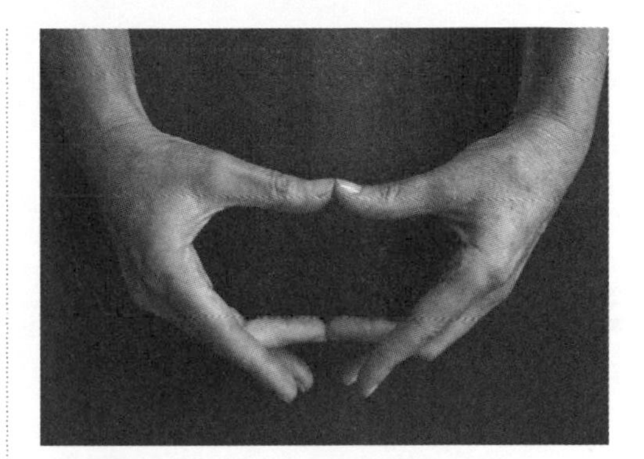

Derivada de amor y de poder

Símbolo: Fuego y Éter de las dos manos se unen en forma de moño abierto, manteniendo los dedos Aire, Agua y Tierra extendidos.

Zona: Frente, corazón y sexo.

Aplicación: Cuando el paciente ha perdido la conciencia del don divino que posee.

Elemento: Aire, Tierra y Fuego, dependiendo del tipo o manifestación de creatividad que se requiera:

- En Aire, vinculadas por lo general con actividades artísticas o intelectuales.
- En Tierra, relacionadas con el placer de los sentidos, incluyendo las artes.
- En Fuego, enlazadas con actividades creativas y con conceptos pasionales.

Sonidos: Acorde Do, Mi, Sol.

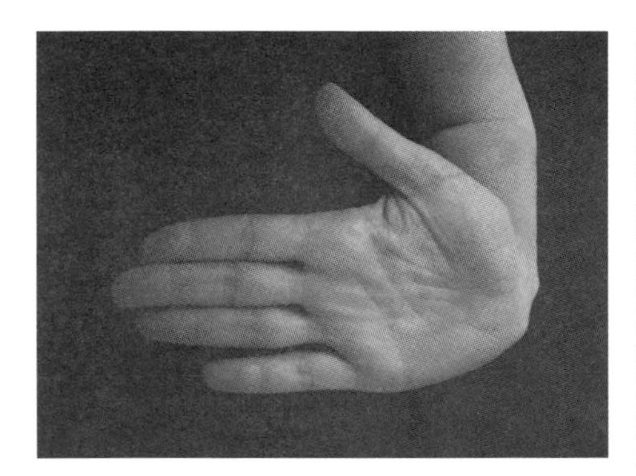

Entendimiento

Derivada de verdad

Símbolo: La mano vuelta hacia el cielo doblando la muñeca en posición de recepción.

Zona: Espalda, en el centro de la espina dorsal y a lo largo de la espina dorsal. Se pasa el codo por encima de la espina sin tocarla, de abajo hacia arriba.

Aplicación: Cuando el paciente tiene dudas.

Elemento: Aire.

Sonidos: Arpegio Mi, Do.

Entusiasmo

Derivada de poder y de fuerza

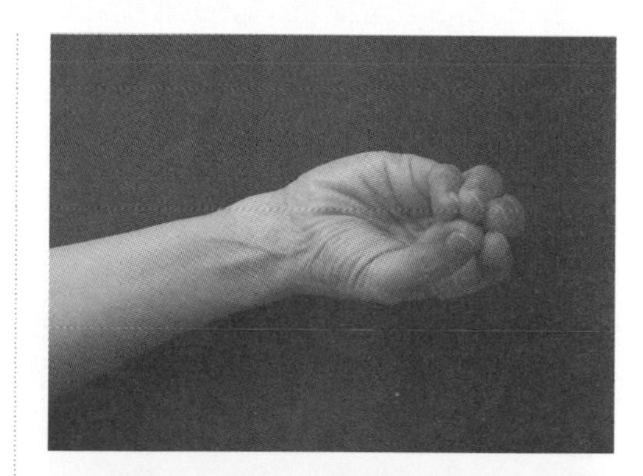

Símbolo: Abrir y cerrar los cinco dedos con la palma volteada hacia arriba.

Zona: Corazón y mente.

Aplicación: Se aplica en contra de la abulia o de la desidia.

Elemento: Tierra.

Sonido: Sol.

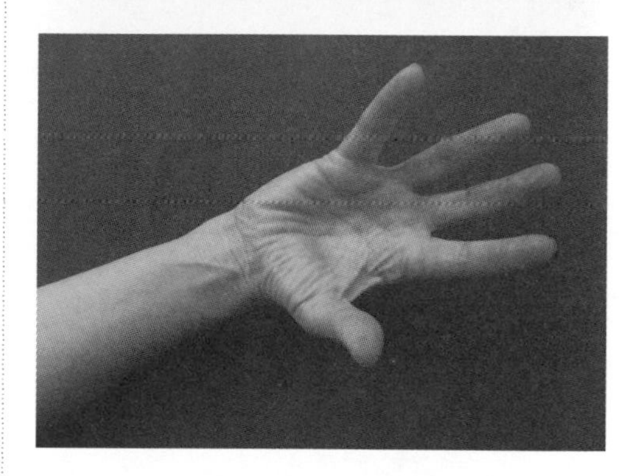

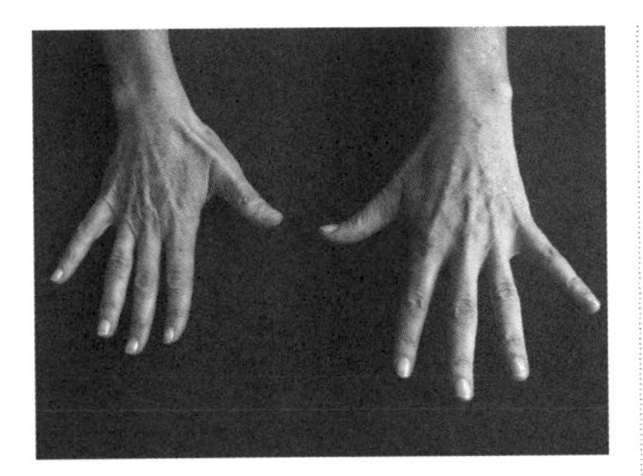

Equilibrio

Derivada de claridad y de fuerza

Símbolo: Las manos se abren y se balancean suavemente. El dedo Fuego ligeramente hacia abajo.

Zona: Oído.

Aplicación: Cuando hay un desequilibrio físico, mental, emocional o espiritual en una persona.

Elemento: Aire.

Sonido: Mi.

FE

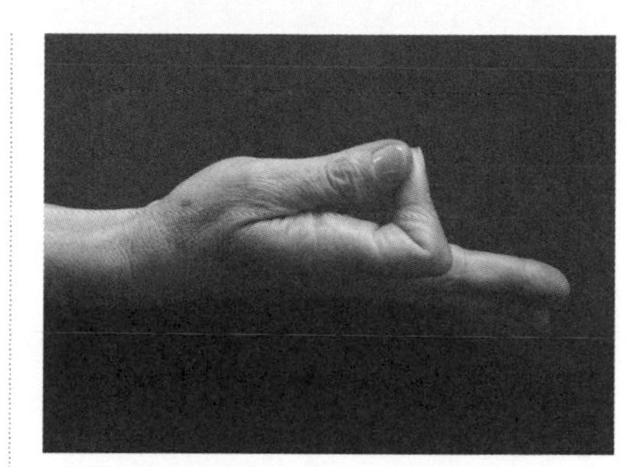

Derivada de poder y de fuerza

Símbolo: Mano izquierda. El dedo Éter y el dedo Aire se tocan. Los otros tres dedos estirados.

Zona: Boca.

Aplicación: Cuando el paciente no cree en sí mismo.

Elemento: Agua.

Sonido: La.

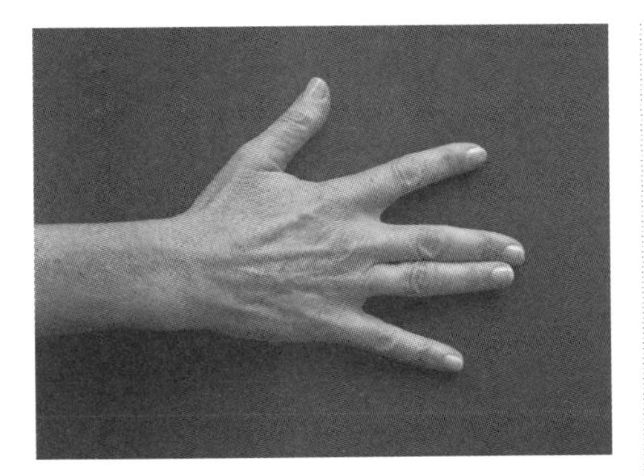

Fuerza

Derivada de poder

Símbolo: Fuego y Agua unidos, los cinco dedos estirados.

Zona: Por todo el cuerpo.

Se aplica en zonas específicas según lo que se necesite:

- Fuerza física, en los pies.
- Fuerza espiritual, en la coronilla (en este caso se levanta el dedo Fuego).
- Fuerza emocional, en el estómago (se levanta el dedo Éter).

Aplicación: Cuando exista agotamiento. Cuando el cuerpo, la mente o el espíritu están débiles, lo que significa que los siete cuerpos no están juntos, o están muy dispersos o muy debilitados.

Elemento:

- Tierra, en caso de fuerza física.
- Fuego, si se trata de fuerza emocional.
- Aire, si es fuerza mental.

Sonidos: Acorde formado por Re, Fa, La.

Gracia

Derivada de amor

Símbolo: Se unen los dedos Éter y Fuego, manteniendo extendidos los dedos Aire, Agua y Tierra, éste último más elevado que los demás.

Zona: A lo largo de la columna vertebral.

Aplicación: Cuando el paciente no ha encontrado cómo reírse de sí mismo.

Elemento: Agua y Aire.

Sonido: La.

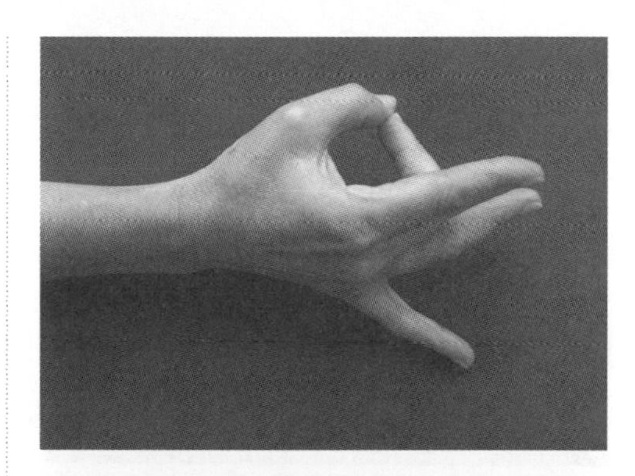

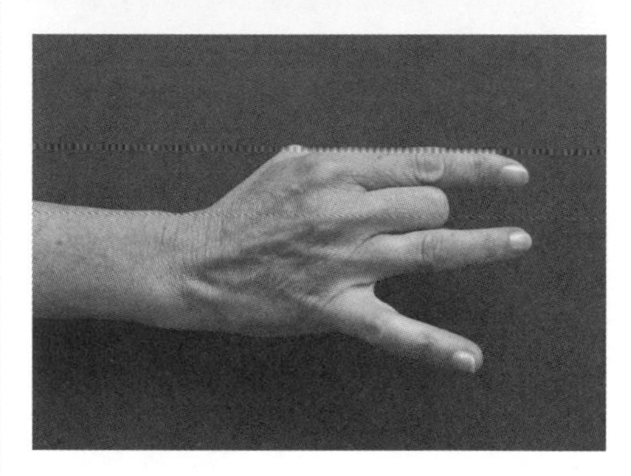

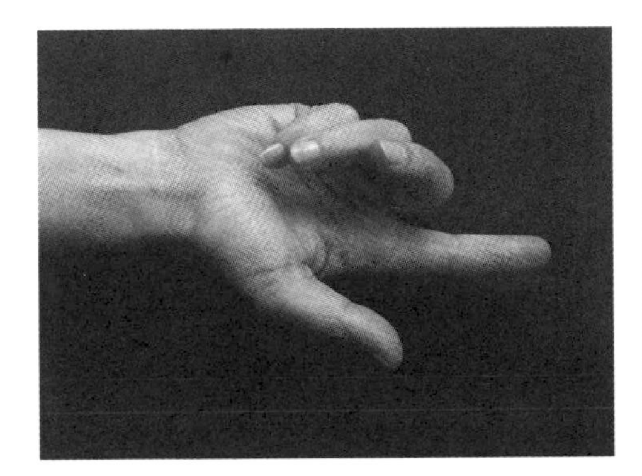

Gratitud

Derivada de amor

Símbolo: La mano volteada hacia el cielo, con los dedos Tierra, Agua y Fuego ligeramente remetidos, y Aire y Éter extendidos.

Zona: Borde externo de los hombros.

Aplicación: Cuando aparece la soberbia. Su función es contrarrestar o apagar el fuego.

Elemento: Fuego.

Sonido: Fa#.

HERMANDAD

Derivada de amor

Símbolo: Las puntas de todos los dedos de las dos manos unidas como formando un mundo.

Zona: Corazón.

Aplicación: Cuando el paciente está aislado, se siente solo o no ve a los otros como iguales.

Elemento: Aire.

Sonido: Si^{b}.

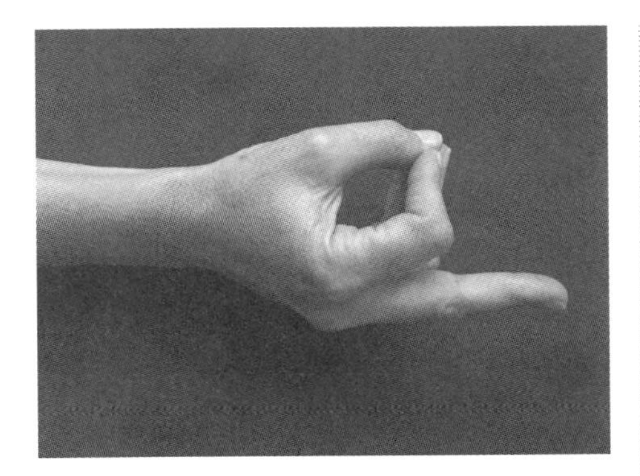

Honestidad

Derivada de claridad y de verdad

Símbolo: Unir los dedos Éter, Aire, Agua, Tierra como una burbuja y dedo Fuego levantado. La mano hacia arriba enseñando la palma.

Zona: Boca. Al nivel del diafragma. Quien aplica este símbolo debe estar en silencio y el paciente también.

Aplicación: Cuando el paciente no quiere verse a sí mismo o al mundo tal cual es. Cuando se miente a sí mismo.

Elemento: Tierra, Agua.

Sonidos: Silencio o Do.

HUMILDAD

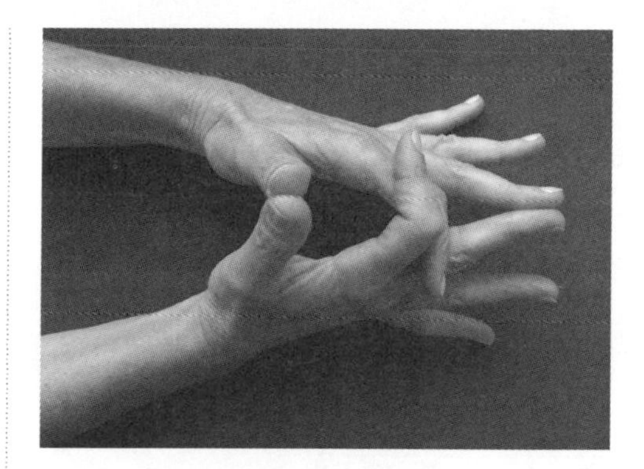

Derivada de poder

Símbolo: Palmas de las dos manos unidas. Los dedos Éter están juntos, los dedos Aire entrelazados, los dedos Fuego se tocan la primera falange, Agua y Tierra abiertos y separados.

Zona: Hombros, en la parte media, entre la parte muscular y la clavícula.

Aplicación: Contra la soberbia.

Elemento: Fuego.

Sonido: Sol.

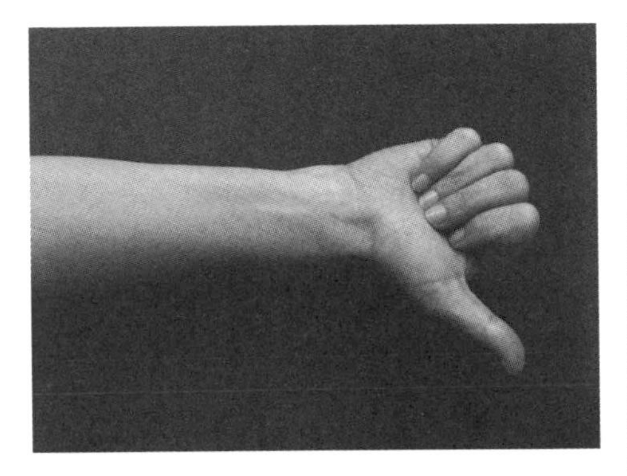

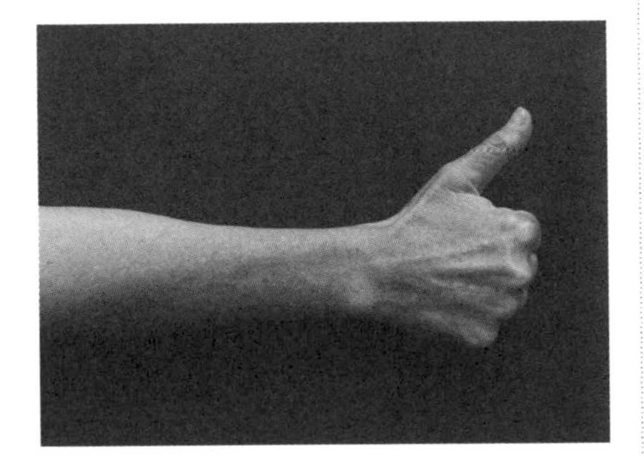

Inspiración

Derivada de poder

Símbolo: La mano izquierda semicerrada, con el pulgar hacia arriba y el pulgar se mueve en un arco de 180° empezando con la mano hacia abajo para terminar con la palma hacia arriba.

Zona: Ojos.

Aplicación: Cuando hay que abolir la aburrición, el tedio o el fastidio.

Elemento: Aire.

Sonido: Si.

INTEGRIDAD

Derivada de verdad

Símbolo: El puño cerrado.

Zona: Corazón

Aplicación: Cuando el paciente es capaz de traicionarse a sí mismo.

Elemento: Tierra.

Sonido: Do.

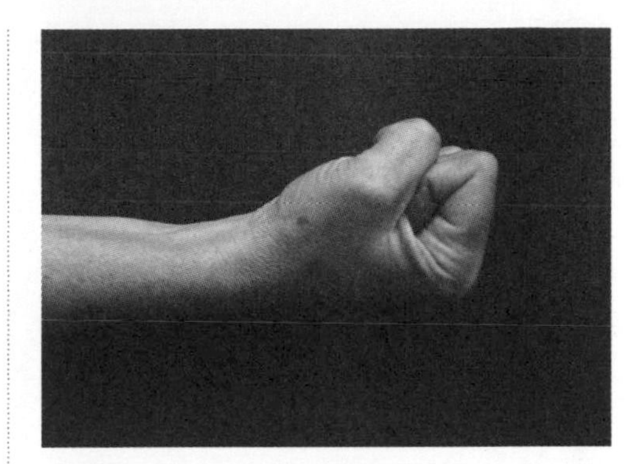

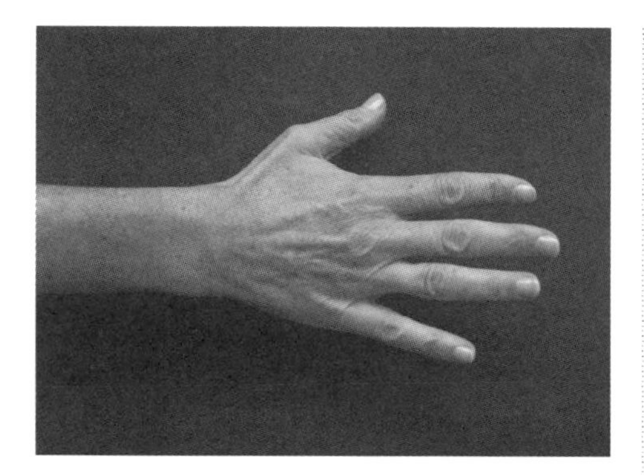

Libertad

Derivada de claridad y de fuerza

Símbolo: La mano izquierda con los dedos levantados, ligeramente separados y el pulgar hacia abajo.

Zona:

- En la coronilla, para la libertad mental.
- En el corazón, para la libertad emocional.
- En los pulmones, para la libertad emocional.
- En el coxis, para la libertad sexual.

Aplicación: La libertad no es un don, no es un regalo, es un derecho con el que nacen todos los seres humanos. Es algo que se descubre, no que se trabaja para obtener. Cuando la gente no sabe eso y no puede verla en sí misma es cuando se debe aplicar este símbolo.

Elemento: Aire.

Sonidos: Todos.

Luz

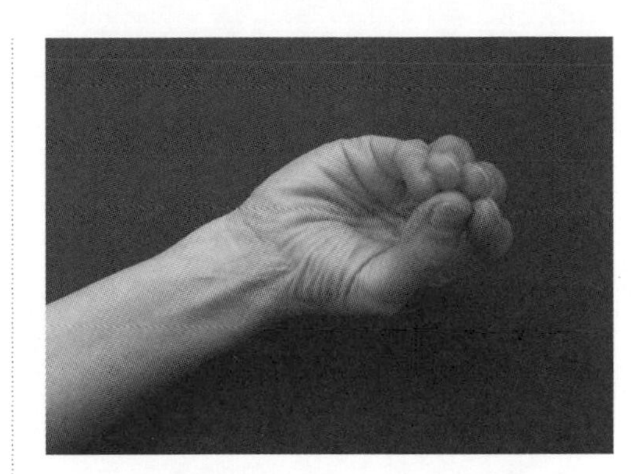

Derivada de claridad

Símbolo: Los cinco dedos juntos, con la palma hacia arriba, como en forma de pera.

Zona: Tercer ojo.

Aplicación: Cuando la persona no quiere ver soluciones para un problema. Desbloquea el tercer ojo.

Elemento: Su origen es Fuego. Es unión de dos elementos: Fuego por la intensidad y Agua por la claridad.

Sonido: La.

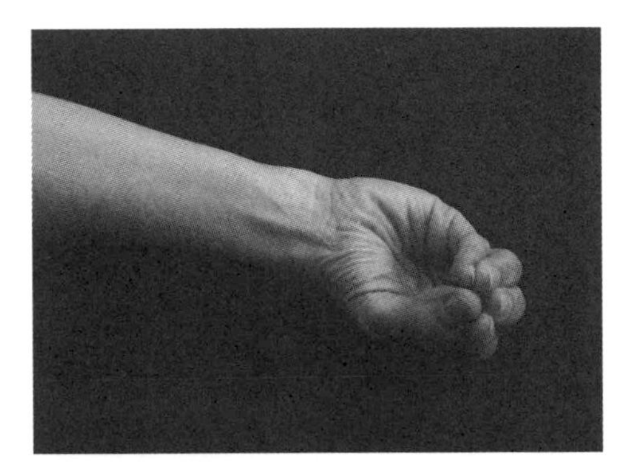

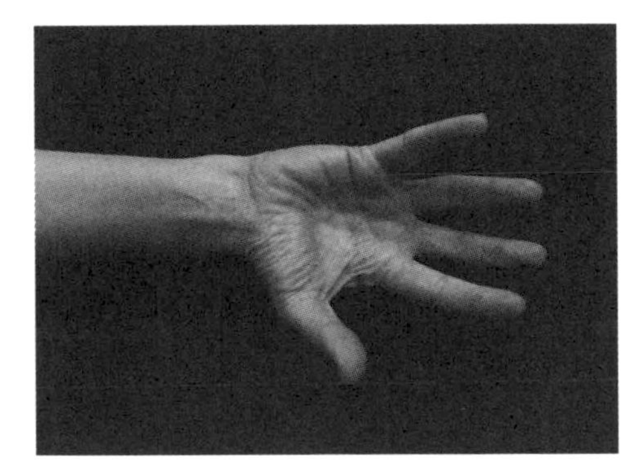

Nacimiento

Derivada de fuerza

Símbolo: Los cinco dedos juntos, como el símbolo de la luz, luego se abren simulando una eclosión.

Zona: Tercer ojo.

Aplicación: Para los que tienen dudas, para los que no quieren verse a sí mismos, para los que no quieren encontrar su camino.

Elemento: Fuego.

Sonido: La.

Paciencia

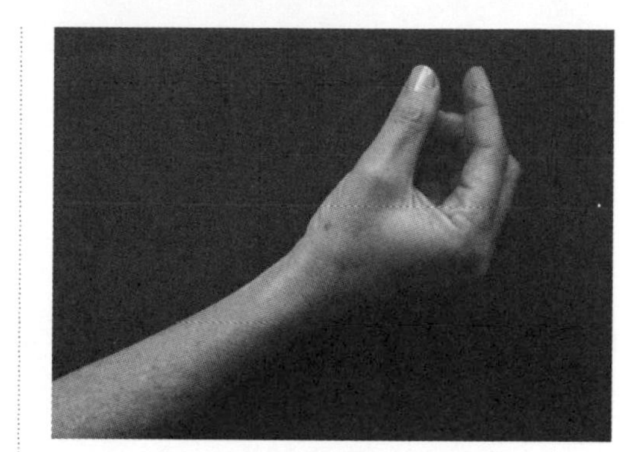

Derivada de amor y de verdad

Símbolo: Unir Éter y Aire extendidos. Dedo Fuego doblado depositado en Éter atrás de Aire. Agua y Tierra doblados.

Zona: Depende del lugar en donde se necesita tener paciencia.

Aplicación:

- En la cadera, para que se tenga la paciencia necesaria para gestar.
- En la nariz, cuando se requiere ser paciente con los demás.
- En el corazón, cuando hay que tener paciencia con uno mismo.
- Sobre los riñones, cuando se requiere paciencia con la pareja.

Sonidos: Arpegio Do, Mi, Sol, Do, Sol.

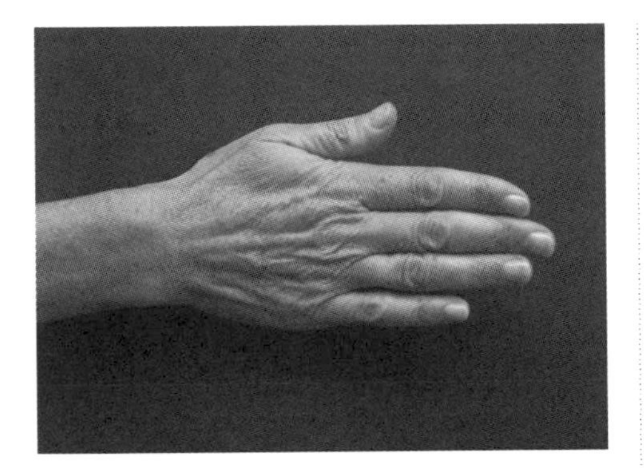

Paz

Derivada de claridad y de verdad

Símbolo: Mano levantada, los cinco dedos estirados y juntos, se apoya la muñeca en la zona a tratar.

Zona: Palmas de las manos y corazón.

Aplicación: Cuando el paciente está involucrado en un torbellino de confusión o de actividad que no le permite pensar.

Elemento: Aire o Tierra.

Sonido: Do.

Perdón

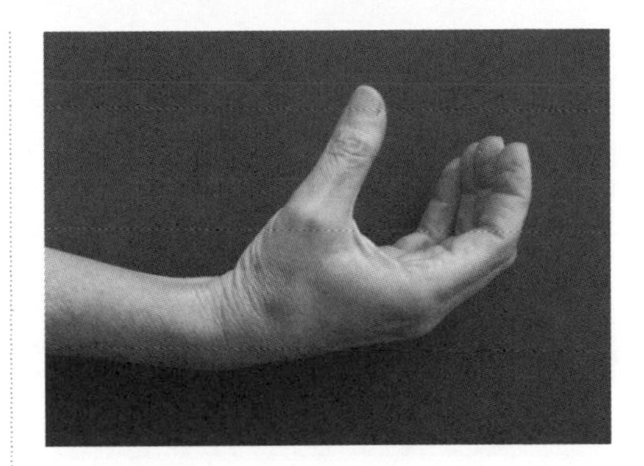

Derivada de amor

Símbolo: Dedos en forma de concha.

Zona: Corazón.

Aplicación: Es el signo que más se utiliza, principalmente cuando hay problemas para perdonar a otros o a uno mismo. Debe usarse como antídoto contra el rencor. Generalmente todos tenemos algo que perdonar.

Elemento: Agua.

Sonidos: Acorde Fa, La.

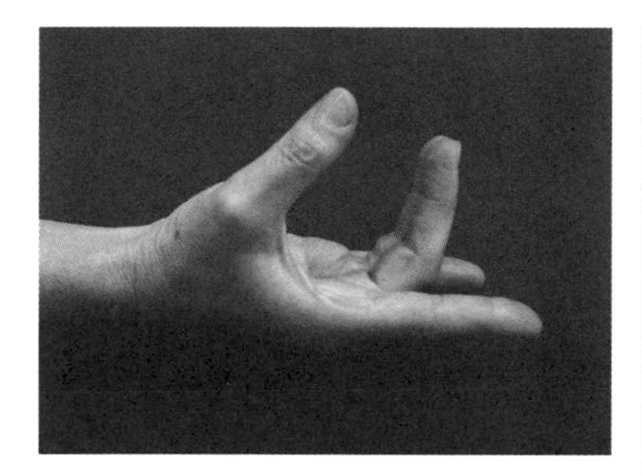

Propósito

Derivada de claridad

Símbolo: Dedos Fuego, Agua y Éter depositados en la parte que se va a trabajar. Aire y Tierra levantados.

Zona: Nuca, en el occipital.

Aplicación: Cuando el paciente no ha encontrado sentido a su vida. Quien no encuentra sentido a su vida es porque tampoco ha encontrado amor. Por eso, este símbolo se parece al símbolo del amor, ya que los propósitos son consecuencia de deseos amorosos, de amor al universo.

Elemento: Tierra.

Sonido: Mi.

Purificación

Derivada de claridad y de verdad

Símbolo: Se forma una concha ligeramente cerrada con todos los dedos de cada mano.

Zona y aplicación: Depende de lo que se tenga que purificar:

- Purificar la mente significa sacar ideas inútiles.
- Purificar la visión significa deshacerse de ideales para ver la realidad.
- Purificar la garganta significa sacar emociones contenidas.
- En el diafragma, emociones contenidas de vidas pasadas.
- En el estómago, para sacar todo aquello que no ha funcionado en nuestra vida.
- En el sexo, cuando se tiene miedo de ser quien se es.

Elemento: Agua y Fuego.

Sonidos: La y Sol. Una o la otra o las dos juntas. Depende de la sensación del paciente y del sanador.

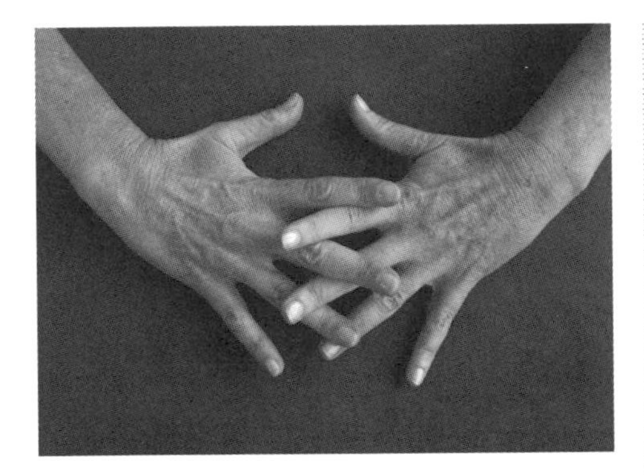

Responsabilidad

Derivada de poder y de fuerza

Símbolo: Palmas de las dos manos hacia abajo, se unen los dedos a la altura de las primeras falanges.

Zona: Espalda y hombros.

Aplicación: Cuando el paciente no quiere ver su participación en las decisiones que toma en su vida.

Elemento: Fuego.

Sonido: Do.

Salud

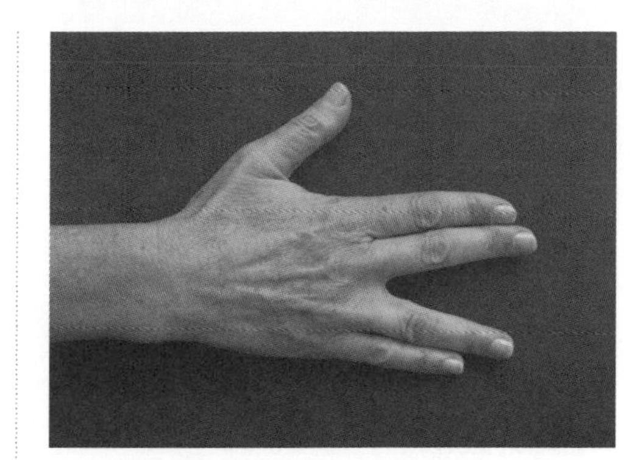

Derivada de claridad y de verdad

Símbolo: Aire y Fuego unidos por sus costados. Agua y Tierra unidos también por sus costados, se forma una V; los cinco dedos estirados.

Zona: Todo el cuerpo.

Aplicación:

- En todo tipo de curaciones: emocionales, espirituales, mentales o corporales. Se utiliza al inicio de una sesión para pedir permiso de *entrar al cuerpo*.
- Para curar un espacio se utiliza con las dos manos realizando círculos hacia afuera.

Elemento: Agua

Sonidos: Re.

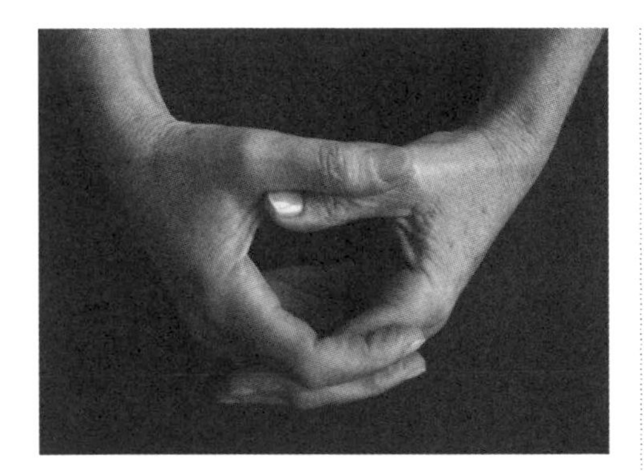

Ternura

Derivada de amor

Símbolo: Dedos de las dos manos entrelazados.

Zona: Corazón.

Aplicación: Cuando exista ira. Se usa cuando la ternura debe resurgir del interior de un paciente, abriéndose el alma para que brote.

Elemento: Aire.

Sonido: Si.

Transformación

Derivada de amor y de poder

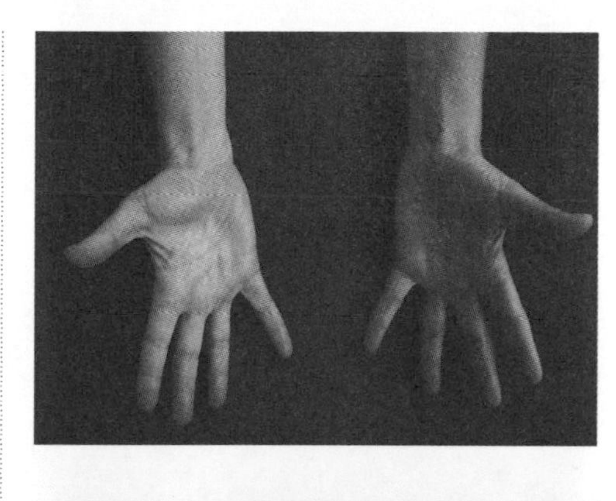

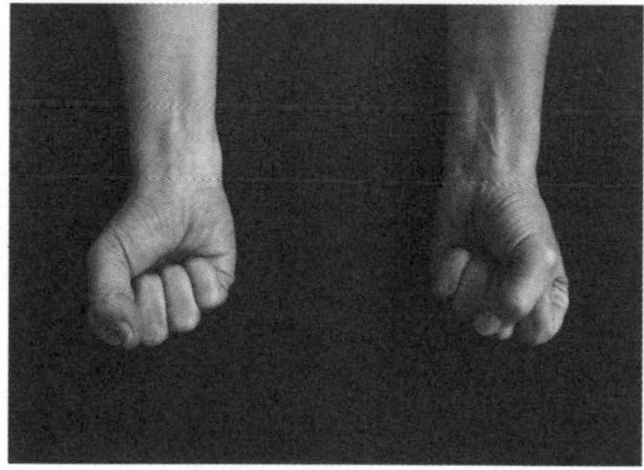

Símbolo: Las dos manos se abren en forma de abanico con los dedos bien extendidos; después se cierran en forma de puño y se vuelven a abrir y a cerrar las veces que sea necesario.

Zona: Un poco más abajo del corazón.

Aplicación: Cuando el paciente se queja de vacío. Funciona como un transmutador de emociones.

Elemento: Tierra.

Sonido: Do.

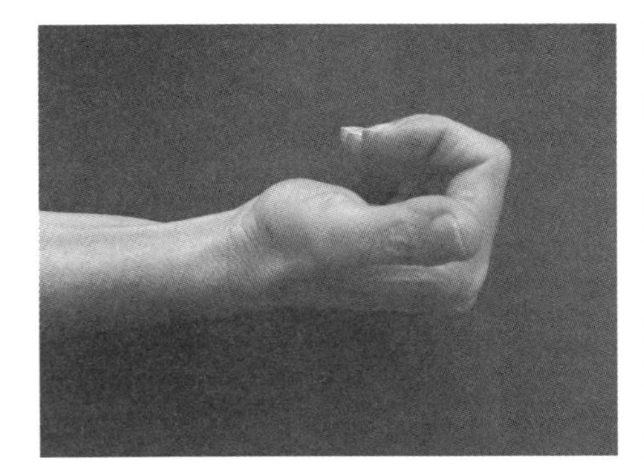

Valentía

Derivada de poder y de fuerza

Símbolo: La mano derecha semi-cerrada en forma de puño y con el pulgar levantado hacia arriba.

Zona: Depende de qué necesita el paciente:

- Si necesita valentía mental, se aplica en el tercer ojo.
- Si necesita valentía emocional, sobre los riñones con las dos manos.
- Si se trata de valentía espiritual, sobre el sexo, con la mano izquierda.

Elemento: Fuego.

Sonido: Sol.

Voluntad

Derivada de poder

Símbolo: Los dedos Éter y Fuego están unidos en forma de moño y los dedos Aire, Agua y Tierra están en forma de pirámide unidos en sus puntas.

Zona y aplicación:

- Trazar una línea desde el entrecejo hasta el espacio entre los occipitales, cuando la voluntad falta en las ideas.
- En la columna vertebral cuando la voluntad falta en los movimientos.
- En la punta de los pies cuando la voluntad falta para irse.

Elemento: Fuego.

Sonido: Sol.

SÍMBOLOS CURATIVOS DE LAS VIRTUDES COMPLEMENTARIAS

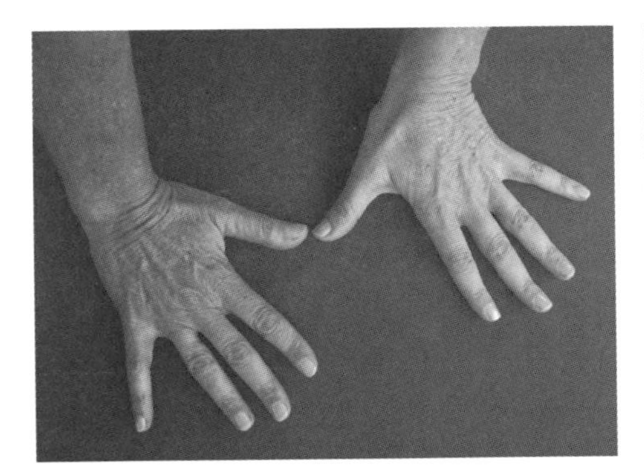

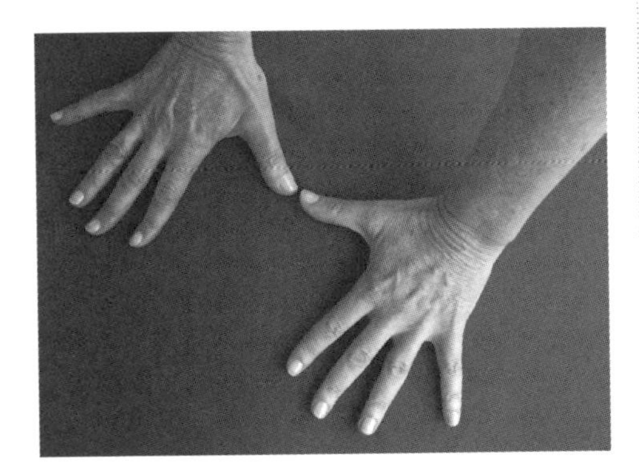

Apertura

Complementaria de poder y de verdad

Símbolo: Las manos abiertas. Se mueven haciendo semicírculos.

Zona:

- Si se aplica en la frente, para abrir la mente a nuevas ideas.
- Si se aplica en el corazón, abre emociones contenidas. Puede ser peligroso.
- Cuando se aplica en el vientre, abre instintos o tendencias que el paciente no quiere ver de sí mismo. También es peligroso.

Nunca se aplica por más de tres segundos.

Aplicación: Cuando la gente no quiere ver opciones, se cierra a la vida, al amor, a la plenitud, a sí misma. También se puede usar cuando la gente tiende a la locura. La locura es una enfermedad de irresponsabilidad que maneja todos los centros energéticos (chakras), específicamente los cuatro primeros.

El arte de ser humano es aprender a ser responsable de uno mismo, es aprender a entender la responsabilidad sin los prejuicios que generan tanto miedo a esa palabra.

Elemento: Tierra.

Sonido: Acorde Do, Mi, Sol.

Aventura

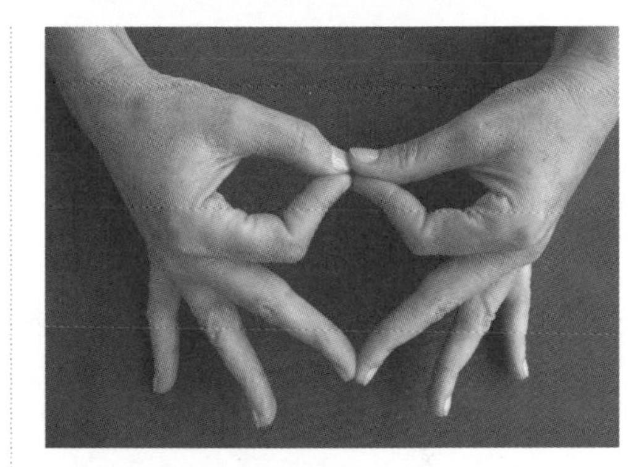

Complementaria de poder y de claridad

Símbolo: Se unen Éter y Aire de las dos manos y se juntan para formar un moño; se tocan las puntas de los dedos Fuego; los dedos Agua y Tierra separados de Fuego.

Zona: Bazo.

Aplicación: Cuando el paciente está aburrido o sin opciones creativas en su vida.

Elemento: Aire.

Sonidos: Si, Re.

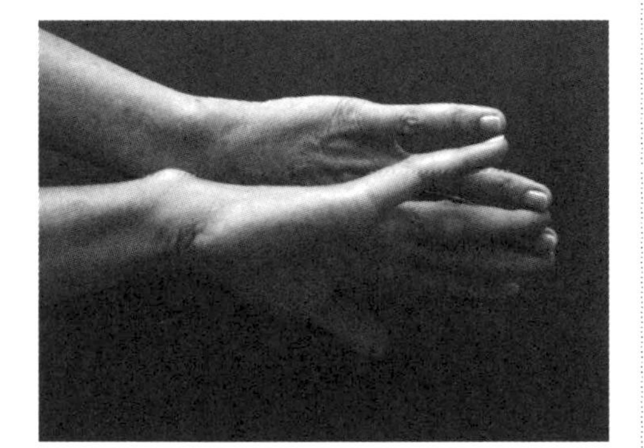

BUEN HUMOR

Complementaria de amor, de poder y de fuerza

Símbolo: Las dos manos se unen por el dorso y se abren los dedos, quedando los dedos Éter separados.

Zona: Diafragma y frente.

Aplicación:

- En el diafragma cuando se quiere contrarrestar rencor.
- En la frente cuando se quiere contrarrestar solemnidad.

Elemento: Aire.

Sonido: Si.

Compasión

Complementaria de amor y de poder

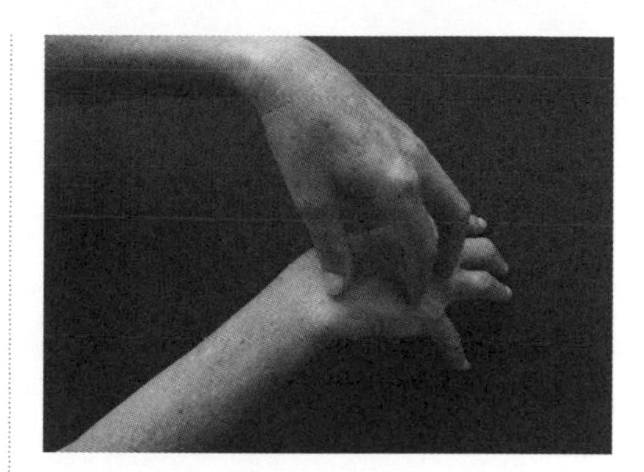

Símbolo: Sobre el cuerpo se depositan los cinco dedos de la mano derecha y sobre ésta se depositan a su vez los dedos de la mano izquierda.

Zona: Corazón y ojos.

Aplicación: Es importante que se use cuando hay una gran soberbia. Es distinguir entre compasión y lástima: compasión viene de compartir una pasión.

- En el corazón, cuando falta amor por uno mismo.
- En los ojos, cuando el paciente no puede ver a los otros e identificarse con ellos.

Elemento: Aire, Fuego y Tierra.

Sonidos: Acorde de Do, Sol.

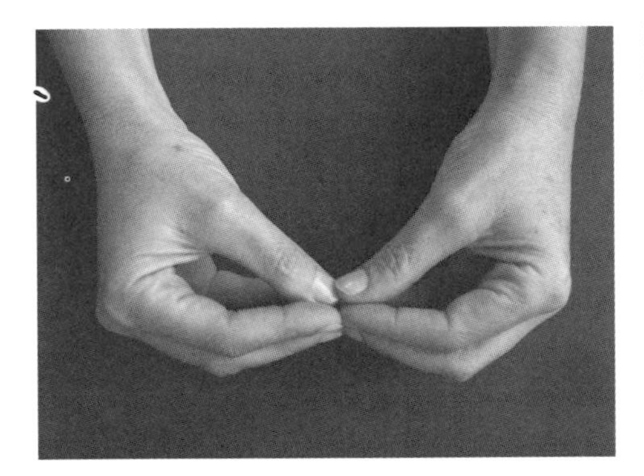

Comunicación

Complementaria de amor y de claridad

Símbolo: Se unen las puntas de los dedos de las dos manos, en forma de moño.

Zona: Boca.

Aplicación: Cuando el paciente no ha hablado lo que necesita expresar.

Elemento: Aire.

Sonidos: Acorde Do, Mi, Sol.

Deleite o placer

Complementaria de amor, de claridad y de verdad

Símbolo: Éter y Agua unidos. Los demás dedos extendidos. La palma hacia abajo.

Zona: Centro del pecho.

Aplicación: Cuando la persona sufre mucho, se victimiza o tiene tendencias suicidas. También cuando tiene adicciones muy fuertes porque cree que el único placer o el único deleite lo va a encontrar en esa adicción. Depende de la adicción el lugar donde necesite utilizarse: hay gente que es adicta al dolor, hay quienes son adictos al maltrato y otros, al sufrimiento. La intuición debe llevar a la posición exacta.

Elemento: Aire.

Sonido: Fa.

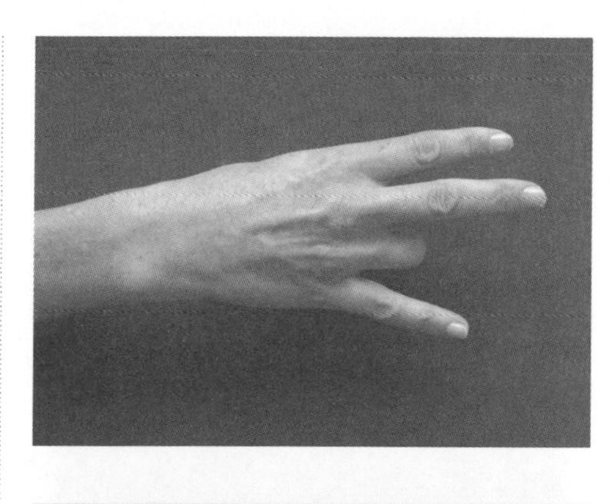

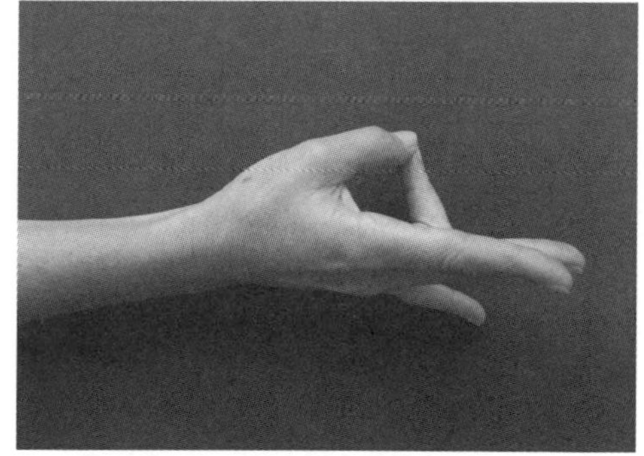

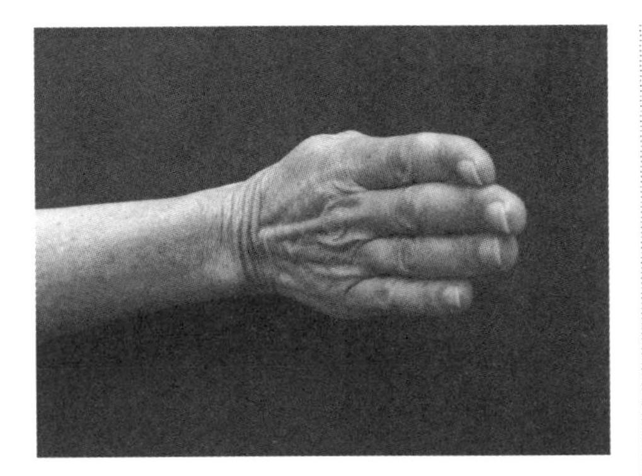

Desapego

Complementaria de amor, de poder y de verdad

Símbolo: La mano levantada con los dedos juntos, ligeramente arqueados hacia arriba, y el pulgar resguardado en el interior.

Zona: Manos.

Aplicación: Cuando el paciente presenta características muy fuertes de manipulación. Hay que recordar que Agua es el elemento de quienes más saben manipular.

Elemento: Agua.

Sonido: La♭.

Diplomacia

Complementaria de amor

Símbolo: Dedos entrelazados de las dos manos. Se hacen girar hacia afuera los dedos Éter.

Zona: Coronilla.

Aplicación: Cuando se necesita negociar con alguien, cuando no hay facilidad de apertura en un negocio. Se puede emplear junto con el símbolo de apertura.

Elemento: Aire.

Sonido: Si^{b}.

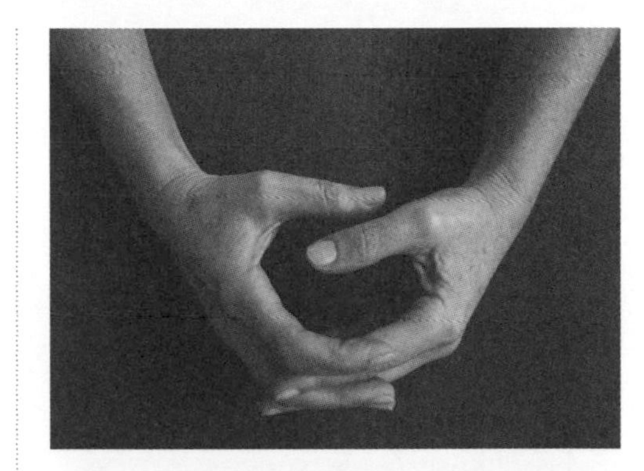

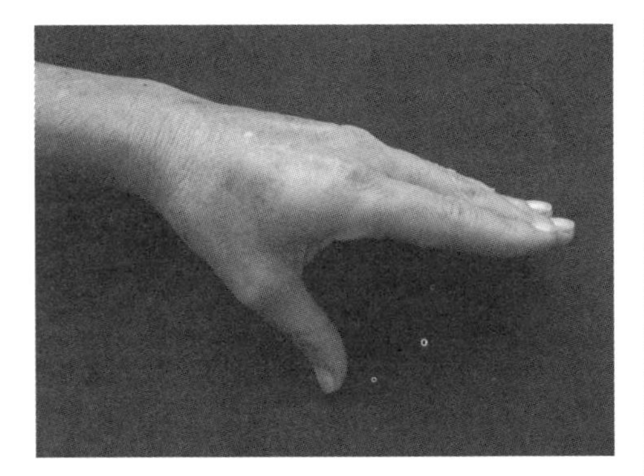

Educación

Complementaria de poder, de claridad, de verdad y de fuerza

Símbolo: La mano izquierda de canto. Los cuatro dedos juntos, ligeramente doblados y el pulgar tocando el espacio que se va a trabajar.

Zona: base del cuello, a la altura del occipital.

Aplicación: Cuando el paciente se ignora a sí mismo.

Elemento: Tierra.

Sonido: Re.

EFICIENCIA

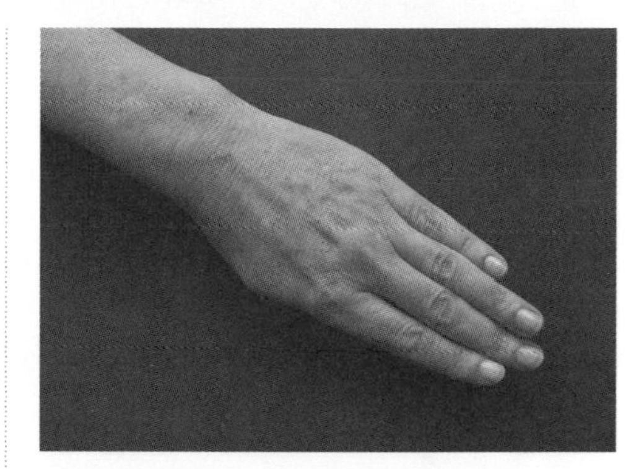

Complementaria de poder

Símbolo: Los cuatro dedos de la mano izquierda juntos y estirados, el pulgar remetido, deslizando la mano hacia la izquierda.

Zona: Depende de qué tipo de eficiencia se quiere lograr.

Aplicación: Cuando el paciente tiene desidia.

Elemento: Aire.

Sonido: Mi.

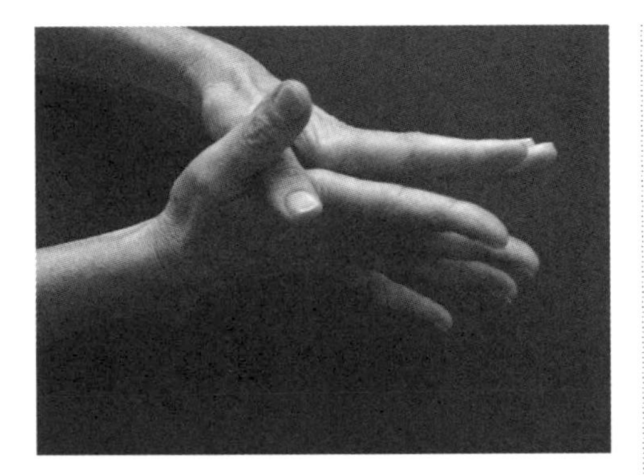

Esperanza

Complementaria de amor y de fuerza

Símbolo: Las palmas se unen, los dedos Éter se entrelazan, mientras que los demás dedos se mantienen separados.

Zona: A lo largo de la pierna derecha, porque es la que hace avanzar primero al cuerpo.

Aplicación: Cuando el paciente no tiene o no quiere ver opciones en su vida.

Elemento: Agua.

Sonido: La.

ESPONTANEIDAD

Complementaria de amor, de poder y de fuerza

Símbolo: Con la palma de la mano hacia arriba, los dedos se unen y luego se abren. Se depositan sobre el paciente.

Zona: Atrás del cuello.

Aplicación: Cuando el paciente no ha aprendido a ser quien quiere ser y sólo obedece lo que otros dijeron que tenía que ser.

Elemento: Fuego.

Sonido: Sol.

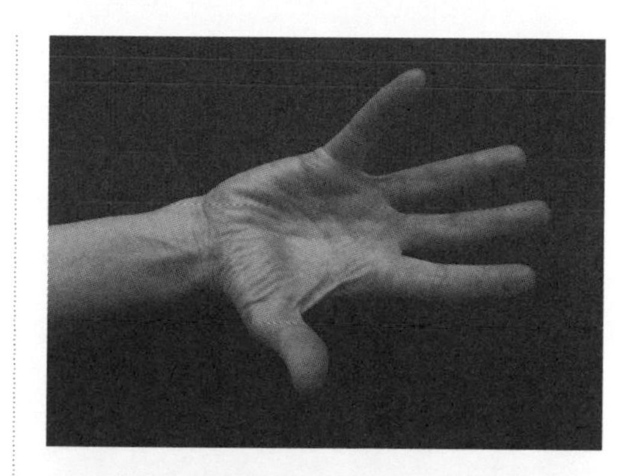

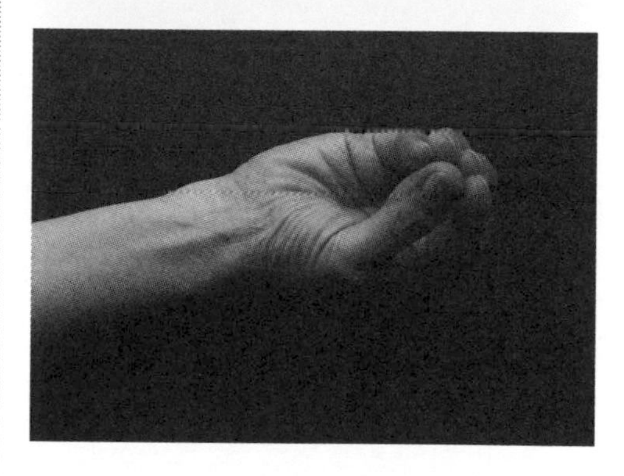

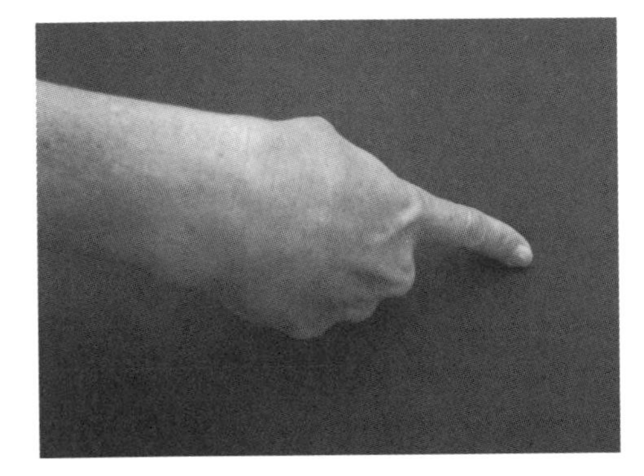

Flexibilidad

Complementaria de amor, de poder y de claridad

Símbolo: Dedo índice patinando encima de la zona que se va a trabajar y los demás dedos recogidos.

Zona: Depende del problema a resolver:

- Cuando la flexibilidad que se necesita es mental se debe hacer sobre los ojos.
- Si la flexibilidad que se requiere es emotiva se debe hacer en la mitad del pecho.
- Si se trata de estimular la flexibilidad espiritual, o ésta corresponde al ámbito de la sexualidad, se debe hacer del ombligo al sexo.

Elemento: Todos

Sonidos: Todos.

Juego

Complementaria de amor

Símbolo: Mano abierta con los dedos separados, como sosteniendo una pelota.

Zona: Diafragma, es en donde nace la risa.

Aplicación: Para liberar energía contenida. Recordemos que Fuego tiene que ver con vencer pasiones humanas.

Elemento: Fuego.

Sonido: Sol.

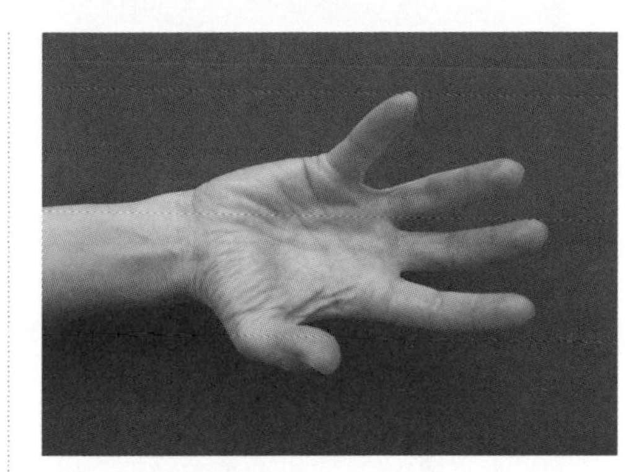

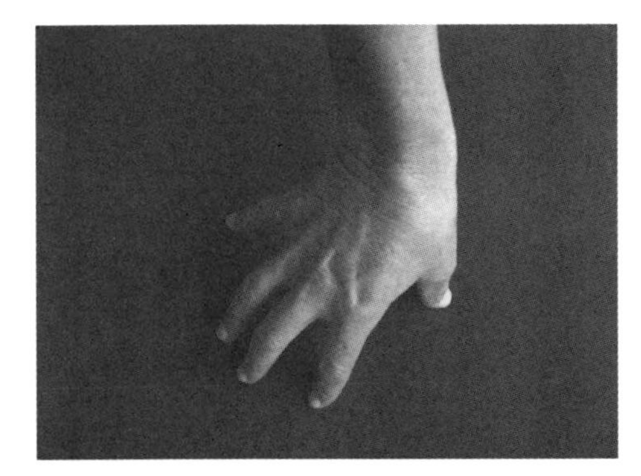

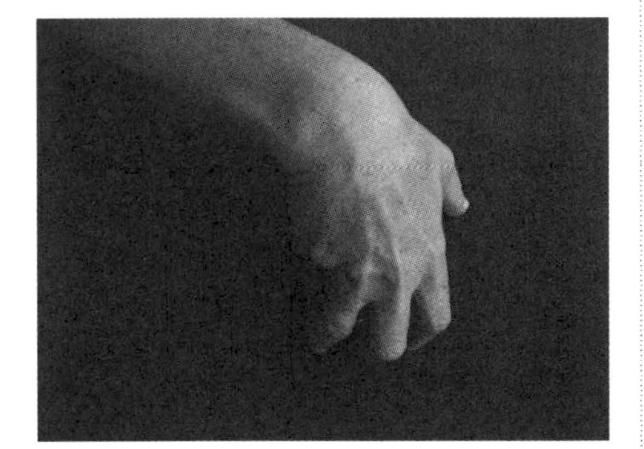

Obediencia

Complementaria de amor, de verdad y de fuerza

Símbolo: Se pone la mano con los dedos en forma de flor hacia abajo y se gira sobre la cabeza de izquierda a derecha en movimiento continuo.

Zona: Coronilla.

Aplicación: Cuando la persona se rebela contra sí misma.

Elemento: Fuego.

Sonidos: Do, Mi, Sol.

SENCILLEZ

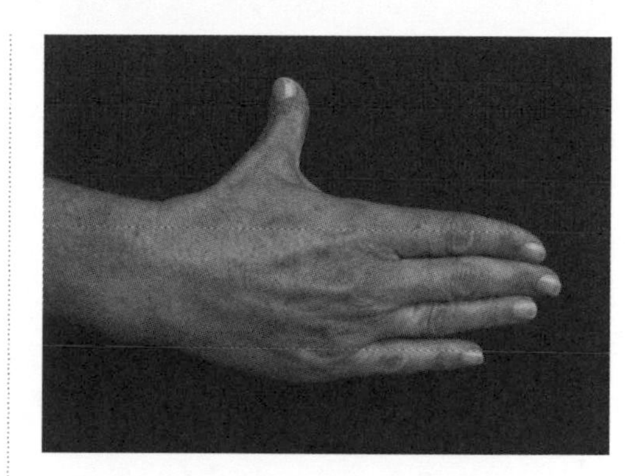

Complementaria de claridad, de verdad y de fuerza

Símbolo: El pulgar forma un ángulo recto con los demás dedos que se encuentran extendidos y se aplica sobre el área de atención.

Zona: Codos.

Aplicación: Cuando el paciente no puede encontrar el camino directo hacia sus deseos.

Elemento: Tierra.

Sonido: Do.

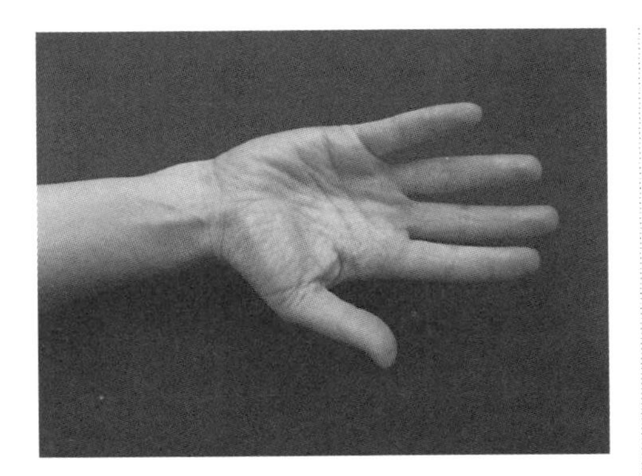

Síntesis

Complementaria de claridad, de verdad y de fuerza

Símbolo: Se apoya el dorso de la mano derecha y se levanta ligeramente, con los dedos extendidos.

Zona: Tercer ojo.

Aplicación: Cuando el paciente pierde el camino recto para realizar sus deseos. La síntesis es ser capaz de usar la energía en una dirección sin desperdiciarla.

Elemento: Implica tres elementos, pero Aire es su mayor portador.

Sonidos: Acorde Do, Mi, Sol, Si.

CASOS CONCRETOS DE APLICACIÓN TERAPÉUTICA

Ahora expondremos una serie de casos concretos. Recuerda que lo más importante cuando estás trabajando o apoyando a una persona es saber qué escuchas, qué percibes, qué tienes que hacer, cómo aplicas la respuesta en el cuerpo de quien te lo ha pedido.

Después veremos los resultados, que varían dependiendo de si eliges un tratamiento basado en la razón o en la percepción, que podrás ir desarrollando poco a poco. Te invito a que trates de hacer a un lado tu pensamiento para que des libre salida a la intuición.

Primero expondremos algunos casos trabajados con base en la razón, cuando apenas empezamos a desarrollar y confiar en la intuición:

Pregunta:
Tengo mucho miedo de relacionarme con la gente y enamorarme.

Respuesta:

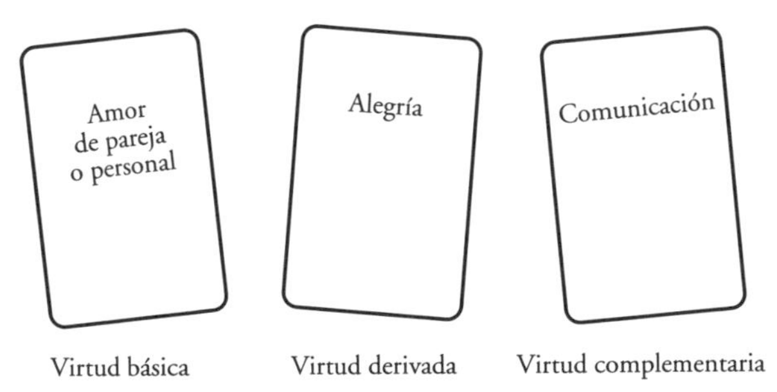

Explicación:
Ten por seguro que si tienes miedo de enamorarte no va a suceder absolutamente nada, por mucho que tú te digas a ti misma que quieres vivir el amor.

Para completar este trabajo, te recomiendo, en este y en los casos que siguen, escoger una esencia derivada y una esencia complementaria. Por ejemplo, una esencia derivada de Amor para poderte enamorar es Alegría y una esencia complementaria es Comunicación. De esta manera el paciente podrá comunicarse mejor con la gente con quien necesita estar en contacto.

Pregunta:
Estoy confundido y no sé qué hacer.

Respuesta:

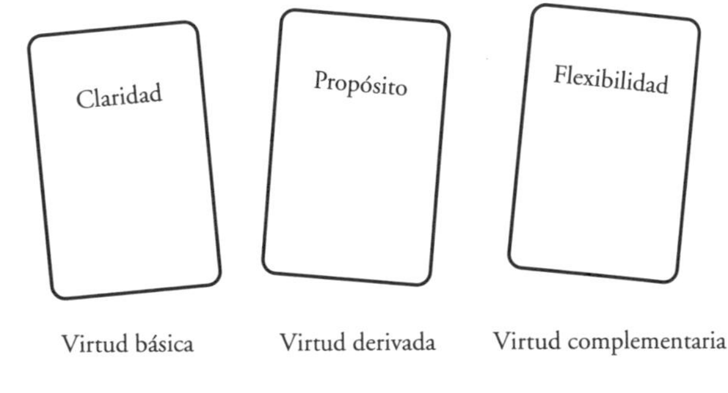

Explicación:
Como en el caso anterior, se parte de una virtud básica, en este caso Claridad, y después se pueden

aplicar una derivada y una complementaria de ésta. Te sugiero trabajar el Propósito para ayudar a que la persona marque un rumbo en su vida y la Flexibilidad para que pueda sortear los distintos conflictos y obstáculos para no volver a confundirse.

Pregunta:
Siento que no he sido honesto conmigo mismo.

Respuesta:

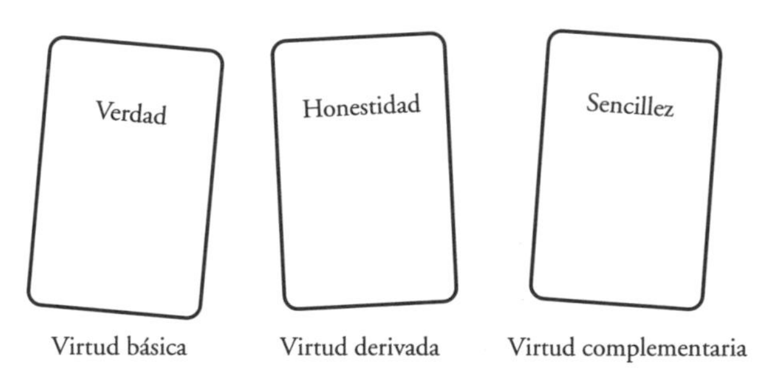

Explicación:
Se decide aplicar Sencillez para que pueda abordar la Verdad sin complicaciones. La Honestidad es la forma más directa de resolver su problema, puesto que el mismo consultante la está enunciando y podrá enfrentarla de forma consciente.

Pregunta:
Creo que no voy a pasar mi examen.

Respuesta:

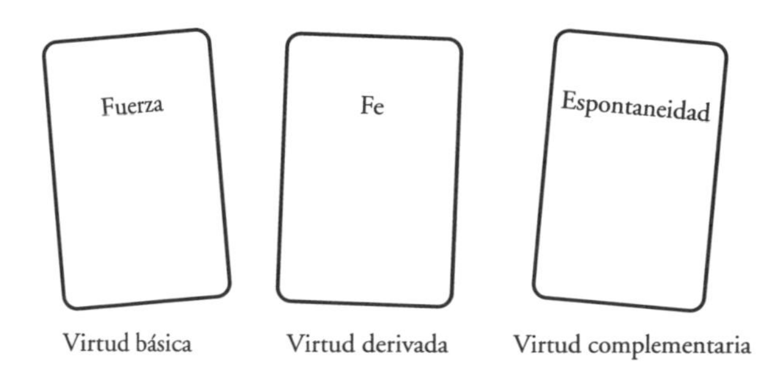

Explicación:
Se decide trabajar con Fuerza porque la forma de expresarse del paciente nos hace ver que no confía en sí mismo y por lo tanto da muestras de debilidad; para contrarrestarla se requiere esa virtud en específico. La derivada que puede ayudar a recuperar la confianza es Fe y se agrega Espontaneidad para que desarrolle las otras virtudes en su interior con mayor fluidez y alegría, permitiéndose ser quien es para ejercer sus propias potencialidades.

Pregunta:
En mi trabajo piensan que no valgo porque soy muy joven. Quiero demostrarles que sí puedo.

Respuesta:

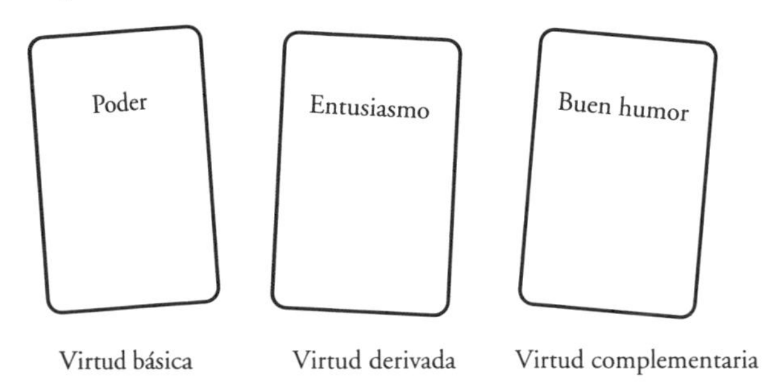

Explicación:

Se aplica Poder para que el joven desarrolle sus capacidades y, al hacerlo, deje de preocuparse por las opiniones de los demás y permita que su trabajo hable por sí mismo. El Entusiasmo ayuda a que siga adelante y el Buen humor para que tome la situación de forma más ligera y sea más fácil para él enfrentar los conflictos.

En los casos anteriores hemos estando trabajando desde la razón. Te invito a que tengas siempre a la mano tu cuadro de resumen de virtudes básicas, derivadas y complementarias (pág. 157), para que cuando empieces un tratamiento se te facilite ver qué puedes aplicar. Cuando ya te sientas más seguro como para trabajar un poco más desde la intuición puedes abrir el oráculo o bien percibir desde ésta qué es lo que quieres hacer con la persona que te pidió ayuda.

En los ejemplos anteriores, como pudiste ver, estás escuchando lo que te dice quien te pide apoyo. Sin embargo, desde tu razón decides aplicar la o las virtudes que piensas que necesita esa persona. En los siguientes casos veremos lo que te dijo el oráculo. El empleo de éste último te ayudará a desarrollar la intuición y la percepción; te darás cuenta de que tendrás contestaciones muy variadas aunque a veces sientas que es la misma pregunta. Las cartas te ayudan a descubrir lo que realmente le hace falta a ese ser humano. Por lo tanto es importante que dejes que el oráculo te conteste y que aprendas a leer dichas respuestas antes de que puedas entrar realmente en la parte emocional del paciente.

Los siguientes casos se resolvieron desde la parte intuitiva.

Pregunta:

Estoy deprimida y quisiera hacer algo al respecto, ¿me pueden ayudar las virtudes?

Respuesta:

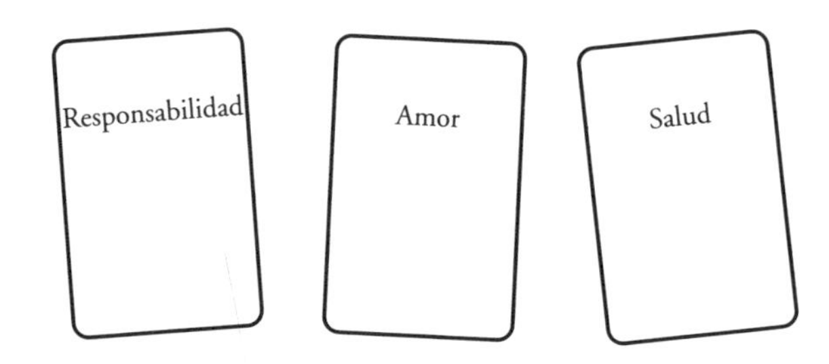

Explicación:
Si te sientes deprimida es que seguramente no estás tomando la Responsabilidad de tu cuerpo físico. Hazlo con Amor y recuperarás la Salud.

Poco a poco, al aplicar este tipo de tratamientos, verás cómo la gente empieza a tomar decisiones por sí misma. Responsabilidad es una palabra muy compleja, pero es lo que todos los seres humanos necesitan llegar a tener y ejercer sin ningún temor con el fin de crecer en conciencia.

Pregunta:
Mis hijos están enfermos, tienen viruela. ¿Pueden las virtudes ayudarlos de alguna manera?

Respuesta:

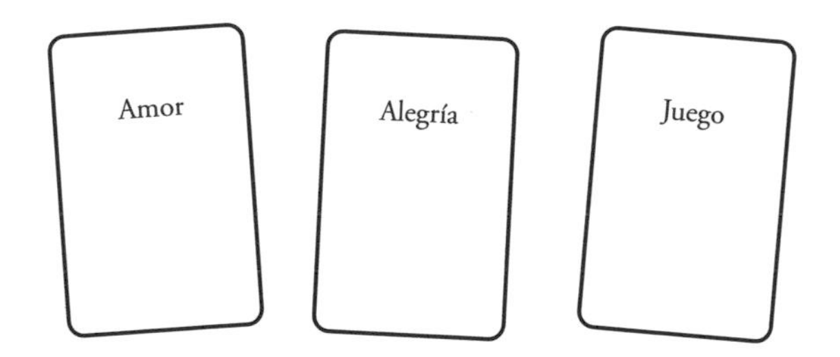

Explicación:
Es importante saber que todas las enfermedades eruptivas tienen que ver con el enojo y la falta de autoestima; sólo con Amor más Alegría y tomando la vida como si fuera un Juego, los hijos podrán recuperarse emocionalmente.

En los siguientes casos trabajaremos con el oráculo para ver la diferencia en el tipo de respuestas.

Pregunta:
Quiero encontrar a mi alma gemela, pero no sé qué hacer para lograrlo. Mis amigos dicen que no existe y que nunca llegará.

Respuesta:

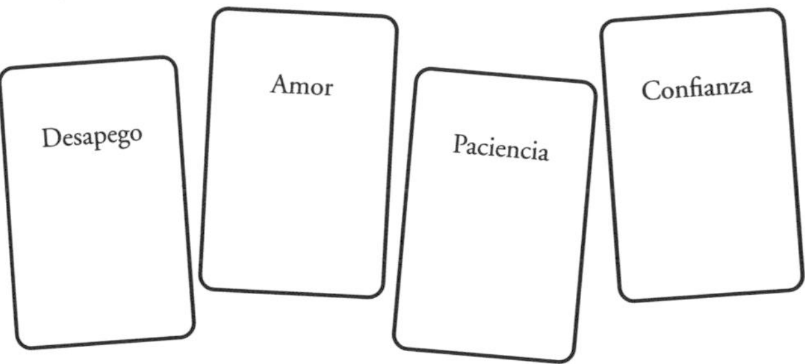

Explicación:
Primero necesitas desapegarte de las ideas preconcebidas por la sociedad, llenarte de amor, ser paciente contigo misma y tener la confianza de que todas las cosas que deseas pueden llegar a suceder si realmente lo deseas de manera positiva.

Pregunta:
Trabajo mucho y no fluye el dinero, pero sé que si no trabajo, no tendré ingresos. Intento llevar mi vida lo mejor posible, pero estoy sumamente deprimida y confundida.

Respuesta:

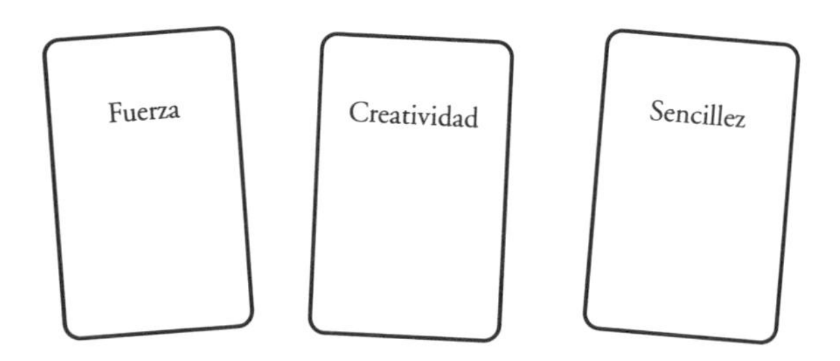

Explicación:
Es importante que reconozcas que tienes la capacidad de hacer todo lo que quieras; lo único que necesitas es no depender de tu razón y ser creativa, empezar a trabajar desde tu intuición y llenarte de alegría de una manera muy sencilla y sin complicarte tanto la existencia para lograr lo que quieres.

Pregunta:
Quiero ser músico, pero en mi casa me dicen que no está bien. Me siento frustrado y asfixiado; mi hermano sí hace lo que quiere, pero a mí no me lo permiten.

Respuesta:

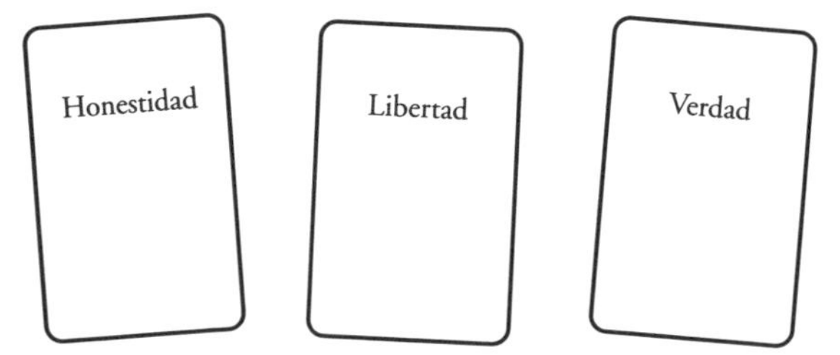

Explicación:
Necesitas empezar a enfocarte en lo que quieres hacer, en lo que quieres sentir, en lo que quieres lograr. Sé honesto contigo para ver qué es lo que realmente quieres y deja que la sensación de asfixia se transforme en la libertad que merece todo ser humano. Si tus deseos son claros, la verdad y tu misión saldrán a la superficie.

Pregunta:
Quiero abrirme y aprender a sanarme y a sanar a otros.

Respuesta:

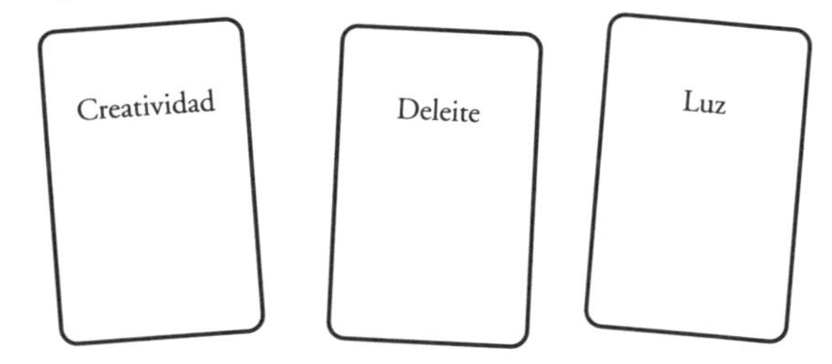

Explicación:
Sólo dejando de pensar las cosas y volviendo a trabajar con la creatividad, es decir, enlazándote con la Tierra y el Universo, te darás cuenta de que sólo si vives a través del deleite y no del castigo podrás llegar a lo que es la función más importante del ser humano: ayudarte, ayudar a los demás y llenarte de luz.

Pregunta:
Mi hijo tiene un profundo enojo con el mundo; es negativo, evasivo, no quiere trabajar en la escuela con sus compañeros, no comparte con los demás, es retador, rebelde. ¿Qué es lo que puedo hacer por él para ayudarlo?

Respuesta:

Explicación:
Al sentirse abandonado, este niño ha perdido el amor en sí mismo, siente que ya no hay esperanzas en la vida para poder vivir feliz. Necesita volver a confiar en sus capacidades; eso lo ayudará a recuperar la fuerza y a darse cuenta de que no hay porqué ser tan mental o adoptar actitudes aprendidas o racionales para permitirse la espontaneidad. Es importante que este niño tenga acceso a actividades emocionales como nadar, pintar, bailar y que vuelva a llenarse de ternura hacia él, darse cuenta de que no es útil pelearse con el mundo y que puede ser amoroso con todos los demás.

Pregunta:
Cuando estoy en casa con mi familia, adopto actitudes que han sido el patrón de comportamiento de varias generaciones y no sé que hacer para librarme de ellos y ser independiente.

Respuesta:

Explicación:
No te sientes tranquila en casa, no ves quién eres para independizarte. Las cosas se pueden resolver mejor desde el amor y no desde el rencor; olvida lo que has aprendido y recupera esa parte tan inherente tuya que es el buen humor para empezar una nueva vida basada en conceptos diferentes. Necesitas encontrar un buen propósito en la vida para ser y hacer lo quieres y no recurrir únicamente a las cosas que tu familia te ha enseñado o inculcado.

Pregunta:
Para sentirme querida necesito provocar conflictos con y entre mis hijos, esposo y mascotas. Me siento muy bien en el momento en que lo hago por la adrenalina que se produce en mi cuerpo, pero después me arrepiento y me siento culpable, llena de rencores y resentimientos por lo que estoy provocando en todos los que me rodean. Me doy cuenta de la inestabilidad en que vive la gente que yo quiero.

Respuesta:

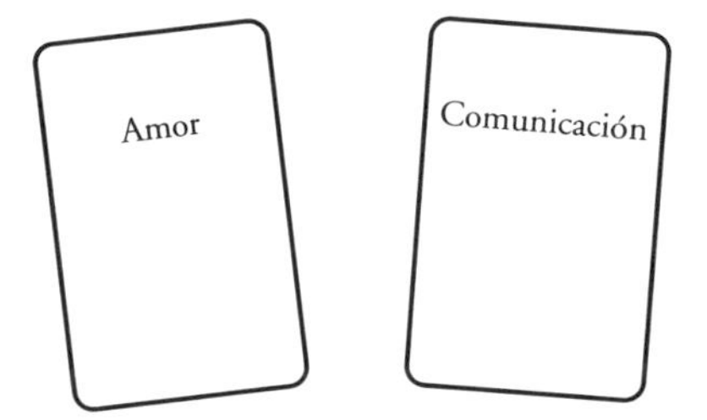

Seguido de un trabajo de autoestima basado en:

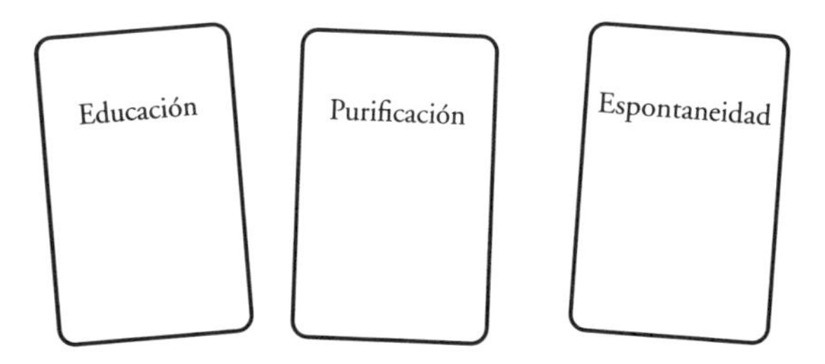

Explicación:
Mientras no tengas amor dentro de ti no podrás reflejar amor hacia los demás. Si la concepción de amor que aprendiste no es la que tú quieres que se manifieste vuélvete hacia las virtudes y deja que el amor puro entre en ti; comunícate contigo y con los demás de una forma diferente. Aprende a respetar a cada uno de los seres que te rodea y entenderás que necesitas purificarte, ser más espontánea y no tan racional en todo lo que emprendes. Existe mucho miedo en tu interior; si te sintieras un poco más segura, con los pies en la tierra, te darías cuenta de que puedes relacionarte de una forma diferente con los seres que te rodean.

Pregunta:
Desde que me divorcié no he podido tener una pareja estable que deseo profundamente. Le tengo mucho resentimiento a mi ex esposo por no haber sido honesto conmigo. Al inicio de la separación no confiaba en nadie y tengo miedo a relacionarme; sin embargo, quiero creer que tengo derecho a volver a conectarme con el amor de una manera diferente.

Respuesta:

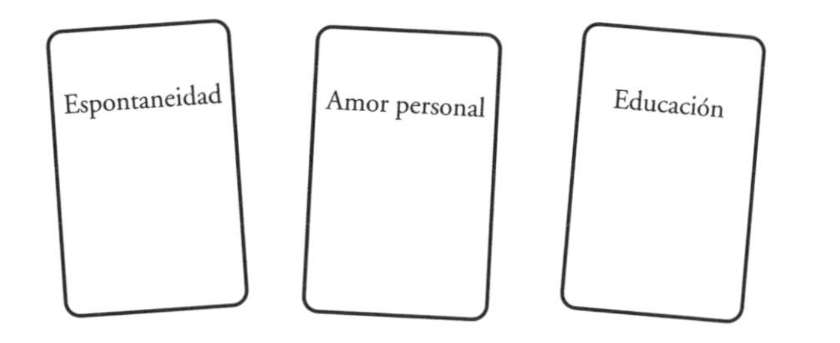

Explicación:
Es importante que creas en ti, que tengas fe en que las cosas pueden cambiar y que pueden rehacerse; es necesario que consideres que no estás ni por encima ni por debajo de nadie y que la vida puede volver a empezar si en lugar de estar basada en el resentimiento vuelves a trabajar con la alegría. Ser tan racional no te lleva a nada; necesitas responder a tus emociones y recuperar la espontaneidad; es importante que veas qué es lo que bloqueó el amor tanto hacia ti como hacia los demás (en este caso, el amor de pareja) para que vuelvas a establecer un patrón de conducta hacia los demás y hacia ti misma (ésta última explicación se relaciona con la carta Educación).

Pregunta:
Me voy a cambiar de casa y tengo miedo de no hacer bien las cosas, de no ser perfecta, siento que no me apoya mi marido, siento que mi familia me detiene. ¿Qué es lo que puedo hacer?

Respuesta:

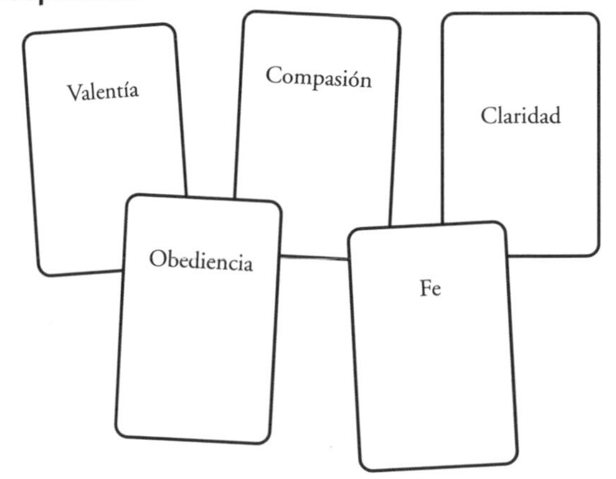

Explicación:
Para dar un paso se necesita ser valiente; recuperar esa esencia dentro de ti; de lo contrario te quedas estancada, tratando de controlarte y de controlar a los demás. Ten compasión por ti, ¿por qué quieres ser tan perfecta? ¿Por qué no te identificas contigo y te autorizas a entender que puedes ser más amable contigo y con los que te rodean? No sabes hacia dónde vas, no sabes qué es lo que quieres, por qué no clarificas tu mente y tienes fe, que si tú obedeces a tus emociones positivas todo tendrá un resultado fabuloso y como lo deseas.

Pregunta:
Perdí todas mis riquezas y me gustaría sentirme seguro.

Respuesta:

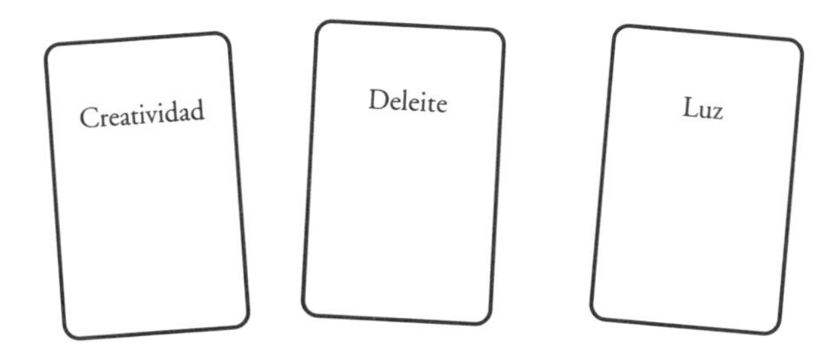

Explicación:

Tienes que recuperar tu autoestima, tu salud física, mental y espiritual. Para eso sólo necesitas obedecer a tu ser, a las cosas que sientes y recuperar lo sencillo de la vida. Tener riquezas monetarias no te aporta la alegría que te da la riqueza espiritual.

Si logras conectar con tu creatividad, será más fácil reinventar una nueva forma de vivir, más placentera, deleitándote con cada pequeño paso que des hacia adelante, con cada cosa que hagas, aunque no esté tan relacionada con la economía sino con lo que te puede llenar de alegría. Te sentirás mucho más pleno y satisfecho, ya que el camino se te aclara y te llenas de luz.

Estos son algunos casos que he visto y que se han resuelto a través de la intuición empleando el oráculo como una herramienta. Lo más importante para ti es, lo repito, que escuches la historia y cómo la cuenta la persona que te pide ayuda; necesitas percibir con mucho cuidado su tono de voz, qué está expresando, cuáles son sus demandas. Tú mismo tienes que entenderlas, empezar por aplicar la virtud más necesaria en ese momento, es decir, la primera que aflora.

Si no hay resultados aparentes trabaja con las cartas de las virtudes que salen usándolas como material de apoyo, ya sea para desbloquear o para facilitar el camino de recuperación de la salud. Recuerda, extiende el mazo y con la mano izquierda la intuición te ayudará a escoger dos, tres, cuatro, cinco cartas, que aplicarás y que dejarás que actúen sin esperar vehemente los resultados. Éstos últimos se darán, no tengas dudas. ¡Esto sí funciona¡.

Recuerda que antes de leer las cartas es muy importante estar centrado y libre de pensamientos que puedan obstaculizar tu sentir las necesidades del otro.

ORÁCULO

Además del uso terapéutico de las cartas de las virtudes puedes usarlas como oráculo y así apoyar el desarrollo de tu intuición y de la percepción de las emociones de los que te rodean. Te presento algunos juegos y estoy segura de que tú mismo podrás desarrollar muchos más, conforme se fortalezca la claridad del trabajo de tu tercer ojo.

EJERCICIO PARA RECONOCER LA VIRTUD DEL DÍA

Se hace al despertar o al comienzo de tus labores cotidianas; de esta manera estarás conectado con la energía de una virtud específica durante el día y esta vibración a su vez te ayudará a resolver lo que necesites a lo largo de tu jornada.

- Se revuelven todas las cartas.
- Se saca una carta y esa es la virtud que hay que trabajar.
- En caso de que aparezca una virtud derivada o complementaria, te recomiendo que también trabajes la virtud básica que le corresponde.

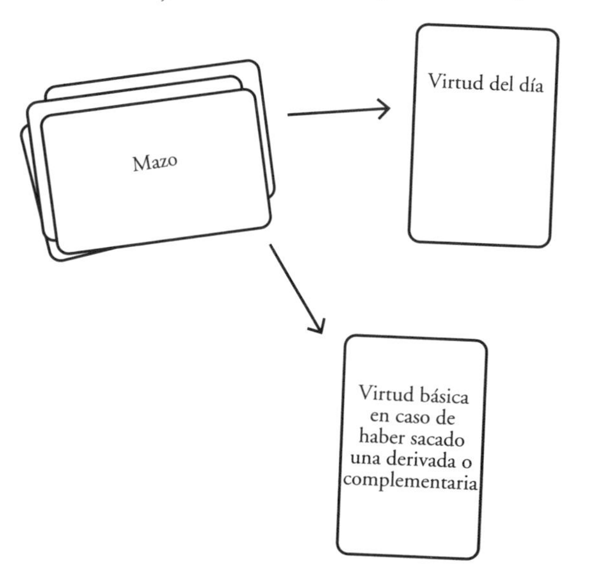

EJERCICIO PARA RESOLVER UN CONFLICTO CON OTRA PERSONA

Si hay algún problema de relación o cotidiano con alguna persona (la pareja, el vecino, un compañero de trabajo, etcétera) se recomienda esta tirada.

- Se barajan las cartas mientras se reflexiona acerca de la posibilidad de resolver los problemas existentes y se hace la petición al universo ¿ que entidad o virtud o ángel podrá ayudarme a resolver el problema que existe con…(nombre del involucrado)?
- Se toman tres cartas y se ponen en forma de una V y se agrega una carta al centro.
- Se invoca a las cartas, se trabaja con ellas.
- Se reflexiona sobre las posibles maneras en que esas virtudes pueden apoyar en la resolución del problema y se mandan mentalmente las tres virtudes a la persona con la que ha habido el desacuerdo. Asi se forma un puente energético positivo que ayuda a resolver cualquier tipo de problema.

Este trabajo puede funcionar tanto para cuando está la otra persona presente como en un trabajo a distancia. Los trabajos a distancia requieren que se invoquen las virtudes para uno mismo y solicitar que se dirijan a la otra persona. Es importante recordar que la otra persona tiene el derecho de escuchar o no a las esencias, es parte de su libre albedrío; sin embargo los conflictos se suavizarán.

Ejercicio de las tres virtudes

Esta tirada nos muestra las tres virtudes que hay que trabajar en el momento de la consulta.

- Se sacan tres virtudes.
- La primera representa la virtud que se desperdicia en la vida.
- La segunda muestra lo que se rechaza en el corazón.
- La tercera la que hace falta en ese momento.
- Cuando hayas realizado este trabajo reflexiona con cuidado las respuestas que te dio el oráculo y date la oportunidad de vover a direccionar tu vida.

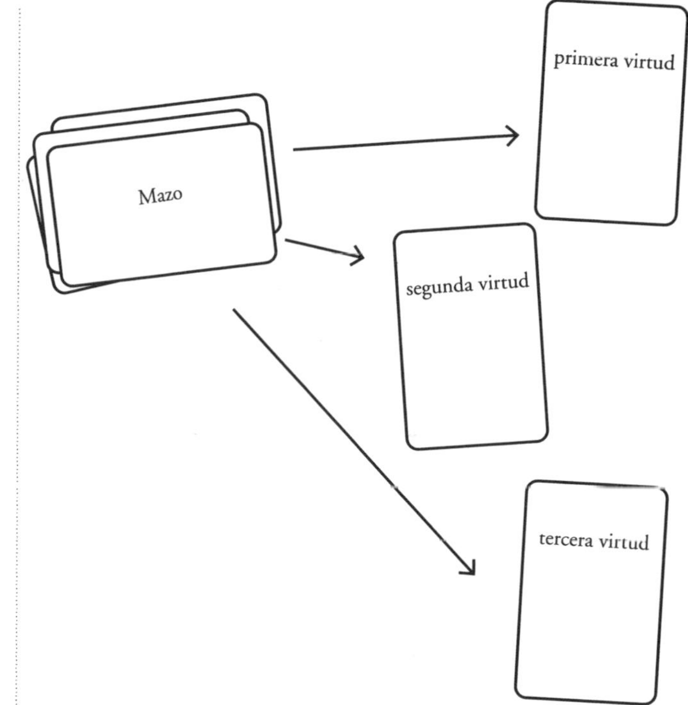

Ejercicio para los meses del año

Este juego sirve para apoyar el proceso de autoconocimiento y valoración personal a lo largo de un año. Recomiendo trabajarlo al inicio del año o para el día de tu cumpleaños o de quien te lo consulte.

- Se sacan doce cartas y se forma un cuadrado empezando de izquierda a derecha.

- El mazo de las cartas se coloca al centro para que la energía de todas las demás esencias apoye tu lectura.
- Poco a poco tu intuición y la percepción de las emociones de la persona con la que estás trabajando te ayudarán a hacer una lectura de lo que deparan las virtudes para ese año específico. Podrás unir las doce virtudes con frases que saldrán de tu interior y que te ayudarán o o ayudarán a los demás a tener una vida mejor (al menos más positiva).
- Se dedica un mes de trabajo a cada virtud. Es decir que puedes ponerte en contacto cada noche con esa vibración y a la mañana siguiente te sugiero que al despertar escribas lo primero que te llegue a la mente en un cuaderno especial, o bien puedes dedicar un acto de tu vida cotidiana al ángel que estas trabajando en ese momento. Este es un pequeño trabajo de reflexión y de interiorización que bien vale la pena, ya que toma menos de cinco minutos realizarlo.

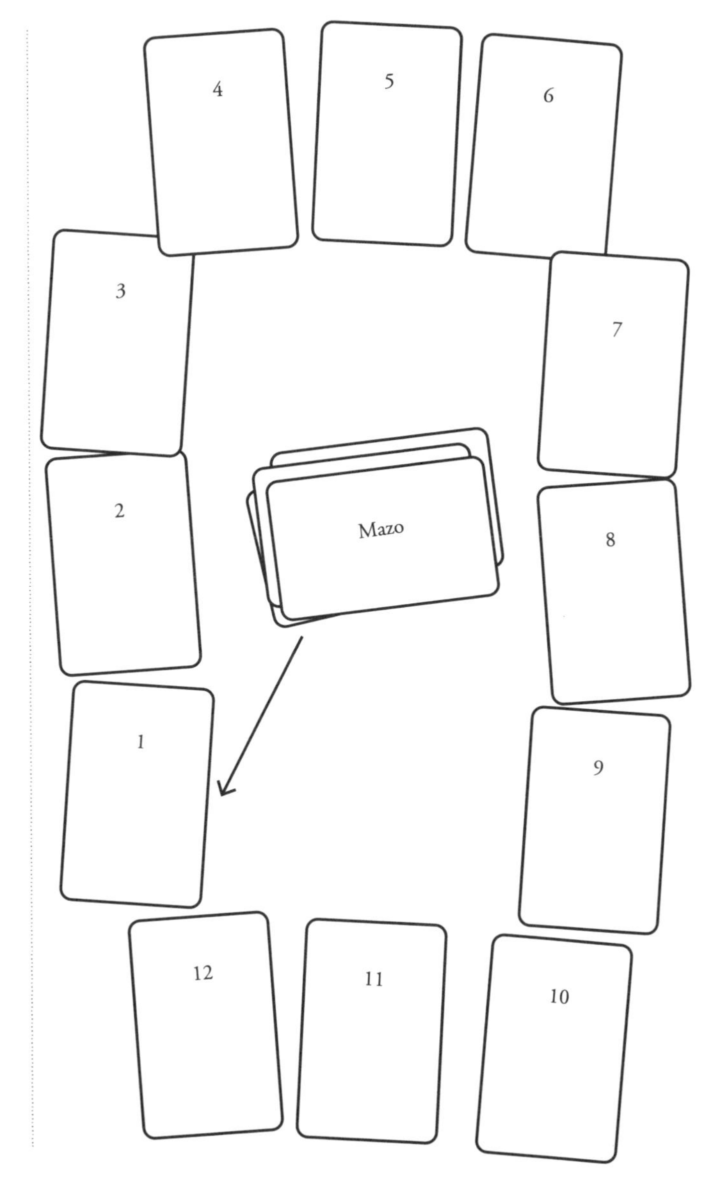

EJERCICIO DE INTEGRACIÓN DE LAS VIRTUDES

Este ejercicio es para percibir las virtudes ó ángeles y reflexionar en el concepto que tienes acerca de cada uno de ellos.

- Se revuelven las cartas.
- Se sacan tres cartas, se ponen boca arriba.
- Se respira tres veces mientras se permite que las virtudes entren en uno.
- Se retiran las cartas, se ponen en un lugar aparte.
- Se sacan tres nuevas cartas boca arriba y se repite el proceso. El ejercicio termina cuando ya no haya más cartas.

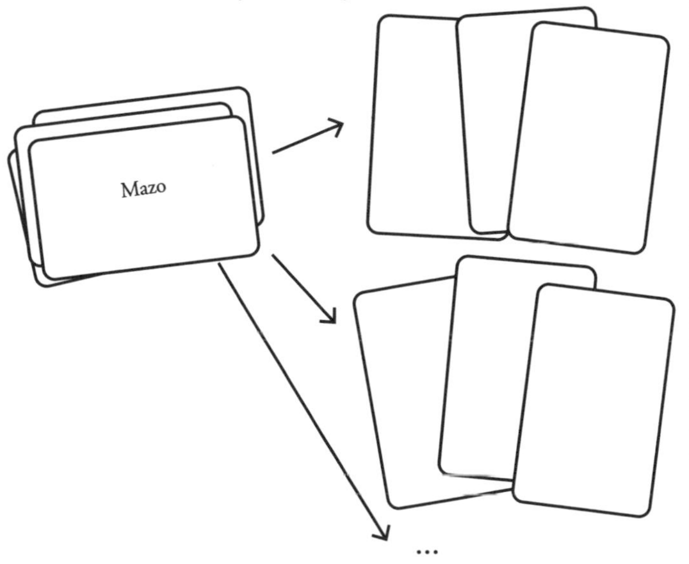

Cuestionario. Ejercicio de autoconocimiento

Este cuestionario es un pequeño ejercicio de reconocimiento personal. Trata de hacerlo con gusto sin minimizar tus capacidades ni exagerando tus defectos aparentes. Finalmente después de hacerlo te darás cuenta que todo siempre tiene una solución, a veces inesperada.

¿Cuál es mi mayor virtud?	¿Cuál es mi peor defecto?

¿Esta virtud la ejerzo como me enseñaron o como quiero ejercerla?	¿Este defecto lo ejerzo como me enseñaron o como quiero ejercerlo?

¿Esta virtud me resulta problemática para la vida cotidiana o realmente me ha abierto las puertas de mi vida?	¿Este defecto me resulta problemático para la vida cotidiana o realmente me ha abierto las puertas de mi vida?

¿Quiero conservar esta virtud para siempre o mejor la cambio por otro punto de vista o algún otro poder?	¿Quiero conservar este defecto para siempre o mejor lo cambio por otro punto de vista o algún otro poder?

¿Soy capaz de sentir cómo resuena esta virtud en mis otros cuerpos (mi aura), en mí mismo, en mi interior, en lo que soy capaz de transformar a mi alrededor?	¿Soy capaz de sentir cómo resuena esta virtud en mis otros cuerpos (mi aura), en mí mismo, en mi interior, en lo que soy capaz de transformar a mi alrededor?

Estas preguntas ayudan a valorar tanto nuestras virtudes como nuestros defectos. Es importante considerar las ganancias secundarias que conlleva tener determinados defectos, es recomendable sobre todo hacer la reflexión con detenimiento en este aspecto.

Si ese defecto nos hace sentir como personas horribles, detestables, etc… sugiero trabajar su contraparte (ver el cuadro de virtudes y sus contrapartes). Esto quiere decir que si existe una cualidad en ti también existe su contraparte; si tienes un defecto, también existe la parte opuesta en ti. Todo depende de lo que quieras ver.

Recuerda que para recuperar la autoestima y la alegría, contamos con el apoyo de la terapia con los símbolos curativos de las manos, los juegos diversos que he presentado en este libro y que apoyan al desarrollo de la intuición así como la meditación y el trabajo de reflexión

Te deseo lo mejor en este trabajo de curación y autoanálisis, diviértete reconociendo las innumerables facetas del oráculo de las virtudes.

Cuadro 1. Virtudes y sus contrapartes

Virtud	Contraparte
Amor	Odio
Poder	Incapacidad, inutilidad
Claridad	Oscuridad
Verdad	Mentira
Fuerza	Debilidad
Alegría	Tristeza
Hermandad	Desamor
Creatividad	Improductividad
Perdón	Rencor
Ternura	Agresión, violencia
Belleza	Fealdad
Armonía	Disonancia, discordancia
Transformación	Quietud
Paciencia	Impaciencia
Gracia	Desgracia
Gratitud	Ingratitud
Confianza	Desconfianza
Buena disposición o diplomacia	Egoísmo
Juego	Fastidio
Buen humor	Enojo, solemnidad
Flexibilidad	Inflexibilidad, rigidez
Compasión	Vacío
Deleite	Sufrimiento
Esperanza	Renuncia
Desapego	Apego, control
Obediencia	Rebeldía
Espontaneidad	Fijeza

Virtud	Contraparte
Entusiasmo	Inactividad
Valentía	Cobardía
Fe	Escepticismo
Humildad	Soberbia, rebeldía
Responsabilidad	Irresponsabilidad
Inspiración	Vanalidad
Abundancia	Miseria
Voluntad	Abulia, inercia, pereza
Eficiencia	Ineficiencia
Apertura	Clausura, cerrazón
Educación	Ignorancia
Síntesis	Desarrollo
Aventura	Miedo
Comunicación	Incomunicación, Aislamiento
Luz	Oscuridad
Salud	Enfermedad
Propósito	Falta de objetivo
Honestidad	Deshonestidad
Libertad	Encarcelamiento
Purificación	Intoxicación
Paz	Guerra
Equilibrio	Desequilibrio
Sencillez	Complejidad
Entendimiento	Irracionalidad
Integridad	Corrupción, deshonestidad
Nacimiento	Muerte

CUADRO 2. RESUMEN DE VIRTUDES: ESENCIAS BÁSICAS, DERIVADAS Y COMPLEMENTARIAS

Virtudes básicas	Amor	Poder	Claridad	Verdad	Fuerza
Esencias secundarias o derivadas	Alegría Armonía Belleza Confianza Creatividad Gratitud Gracia Hermandad Paciencia Perdón Ternura Transformación	Abundancia Confianza Creatividad Entusiasmo Fe Fuerza Humildad Inspiración Responsabilidad Transformación Valentía Voluntad	Armonía Equilibrio Honestidad Libertad Luz Paz Propósito Purificación Salud	Belleza Entendimiento Honestidad Integridad Paciencia Paz Purificación Salud	Entusiasmo Equilibrio Fe Libertad Nacimiento Responsabilidad Valentía
Esencias complementarias	Buen humor Compasión Comunicación Deleite o placer Desapego Diplomacia Esperanza Espontaneidad Flexibilidad Juego Obediencia	Apertura Aventura Buen humor Compasión Desapego Educación Eficiencia Espontaneidad Flexibilidad Síntesis	Aventura Compasión Comunicación Deleite o placer Educación Flexibilidad Sencillez Síntesis	Aventura Deleite o Placer Desapego Educación Obediencia Sencillez Síntesis	Buen humor Educación Esperanza Espontaneidad Obediencia Sencillez Síntesis

Cuadro 3. Virtudes relacionadas con cada etapa de la vida humana

Niñez	Juventud	Madurez
Armonía	Alegría	Abundancia
Belleza	Amor	Alegria
Integridad	Apertura	Amor
Libertad	Aventura	Claridad
Luz	Buena voluntad	Eficiencia
Nacimiento	Compasión	Equilibrio
Obediencia	Comprensión	Fe
Purificación	Confianza	Fuerza
Rendición	Coraje	Inspiración
Responsabilidad	Creatividad	Perdón
	Deleite	Poder
	Desapego (soltar)	Propósito
	Educación	Sanación
	Entusiasmo	
	Espontaneidad	
	Expectación	
	Flexibilidad	
	Gracia	
	Gratitud	
	Hermandad	
	Honestidad	
	Juego	
	Paciencia	
	Simplicidad	
	Síntesis	
	Ternura	
	Transformación	
	Ubicación	

Cuadro 4. Resumen de las características de los sonidos

DO	Nota de la perfección
RE	Nota del poder
MI	Nota del interior del ser humano
FA	Nota de la naturaleza
SOL	Nota del resplandor y la luz
LA	Nota de la armonía universal
SI	Nota de la concesión, del que otorga, del que da

Notas

Notas